O chamado do monstro

O CHAMADO DO MONSTRO

Um livro de PATRICK NESS

Baseado em uma ideia original de SIOBHAN DOWD
Ilustrações de JIM KAY
Tradução de ANTÔNIO XERXENESKY

(z)   ea
      editora ática

Esta é uma obra de ficção. Nomes, personagens, lugares e incidentes são resultado da imaginação do autor ou, se reais, usados ficcionalmente.

Título original: *A monster calls*
Título da edição brasileira: *O chamado do monstro*
Text © 2011 Patrick Ness
From an original idea by Siobhan Dowd
Illustrations © 2011 Jim Kay
Published by arrangement with Walker Books Limited, London SE11 5HJ.

All rights reserved. No part of this book may be reproduced, transmitted, broadcast or stored in an information retrieval system in any form or by any means, graphic, electronic or mechanical, including photocopying, taping and recording, without prior written permission from the publisher.

Conforme a nova ortografia da língua portuguesa

Gerente editorial Claudia Morales
Editor Fabricio Waltrick
Editora assistente Malu Rangel
Diagramadora Thatiana Kalaes
Coordenadora de revisão Ivany Picasso Batista
Revisora Cláudia Cantarin
Coordenadora de arte Soraia Pauli Scarpa
Editoração eletrônica Ludo Design
Tratamento de imagem Cesar Wolf e Fernanda Crevin

CIP-BRASIL. CATALOGAÇÃO NA FONTE
SINDICATO NACIONAL DOS EDITORES DE LIVROS, RJ

N378

Ness, Patrick, 1971-
 O chamado do monstro / Patrick Ness ; ilustração Jim Kay ; tradução Antônio Xerxenesky. - 1. ed. - São Paulo : Ática, 2011.
 216p. : il. ; - (Série Z)

 Tradução de: A monster calls
 ISBN 978-85-08-14731-1

 1. Ficção inglesa. I. Kay, Jim. II. Xerxenesky, Antônio, 1984- III. Título. IV. Série.

11-3281.
CDD: 813
CDU: 821.111(73)-3

ISBN 978 85 08 14731-1 (aluno)
ISBN 978 85 08 14732-8 (professor)
Código da obra CL 737858
2025
OP 286094
1ª edição
10ª impressão
Impressão e acabamento:
Log&Print Gráfica, Dados Variáveis e Logística S.A.

Todos os direitos reservados pela Editora Ática, 2011
Av. Otaviano Alves de Lima, 4400 — CEP 02909-900 — São Paulo, SP
Atendimento ao cliente: 0800-115152 — Fax: (11) 3990-1776
www.atica.com.br / www.atica.com.br/educacional
atendimento@atica.com.br

IMPORTANTE: Ao comprar um livro, você remunera e reconhece o trabalho do autor e de muitos outros profissionais envolvidos na produção editorial e na comercialização das obras: editores, revisores, diagramadores, ilustradores, gráficos, divulgadores, distribuidores, livreiros, entre outros. Ajude-nos a combater a cópia ilegal! Ela gera desemprego, prejudica a difusão da cultura e encarece os livros que você compra.

NOTA DOS AUTORES

Nunca cheguei a conhecer Siobhan Dowd*. Meu único contato com ela foi por meio de seus maravilhosos livros. Quatro romances eletrizantes, dois publicados em vida, dois após a sua morte, que veio cedo demais.

Este teria sido o quinto livro dela. Siobhan criou os personagens, uma premissa e um começo. Mas não teve, infelizmente, tempo de ir em frente.

Quando fui convidado a transformar o trabalho dela em um livro, hesitei. O que eu não queria fazer — o que eu não *conseguiria* fazer — era escrever um romance imitando o estilo dela. Seria um desserviço a Siobhan, ao leitor, e, mais importante ainda, à história. Na minha opinião, um bom livro não se faz assim.

Mas isto é o bacana das boas ideias: elas sempre geram outras. Quando me dei conta, as criações de Siobhan já estavam me

---

* Siobhan Dowd nasceu em Londres, em 1960. Fez suas primeiras experimentações literárias em 2004 e logo foi apontada como uma talentosa escritora. Morreu precocemente, vítima de câncer, em 2007. Publicou quatro livros: *A swift pure cry* (2007) [traduzido no Brasil como *A carne dos anjos*, Agir, 2008]; *The London eye mistery* (2007); *Bog child* (2008) e *Solace of the road* (2009).

inspirando. Comecei então a sentir aquela comichão que todo escritor busca: a de colocar as palavras no papel, a de contar uma história.

Eu senti — e sinto — como se tivessem me passado o bastão, como se uma escritora especialmente talentosa tivesse me dado a história dela e falado: "Vá. Assuma o comando. Faça barulho". Foi o que tentei fazer. Durante o percurso, tinha apenas uma única preocupação: escrever um livro que, em minha opinião, Siobhan gostasse. Nenhum outro critério importava.

Chegou a hora de passar o bastão para você. As histórias não terminam com os escritores, ainda que eles tenham aberto o caminho. Aqui está o que Siobhan e eu criamos. Então vá. Assuma o comando.

Faça barulho.

Patrick Ness
Londres, fevereiro de 2011

Para Siobhan

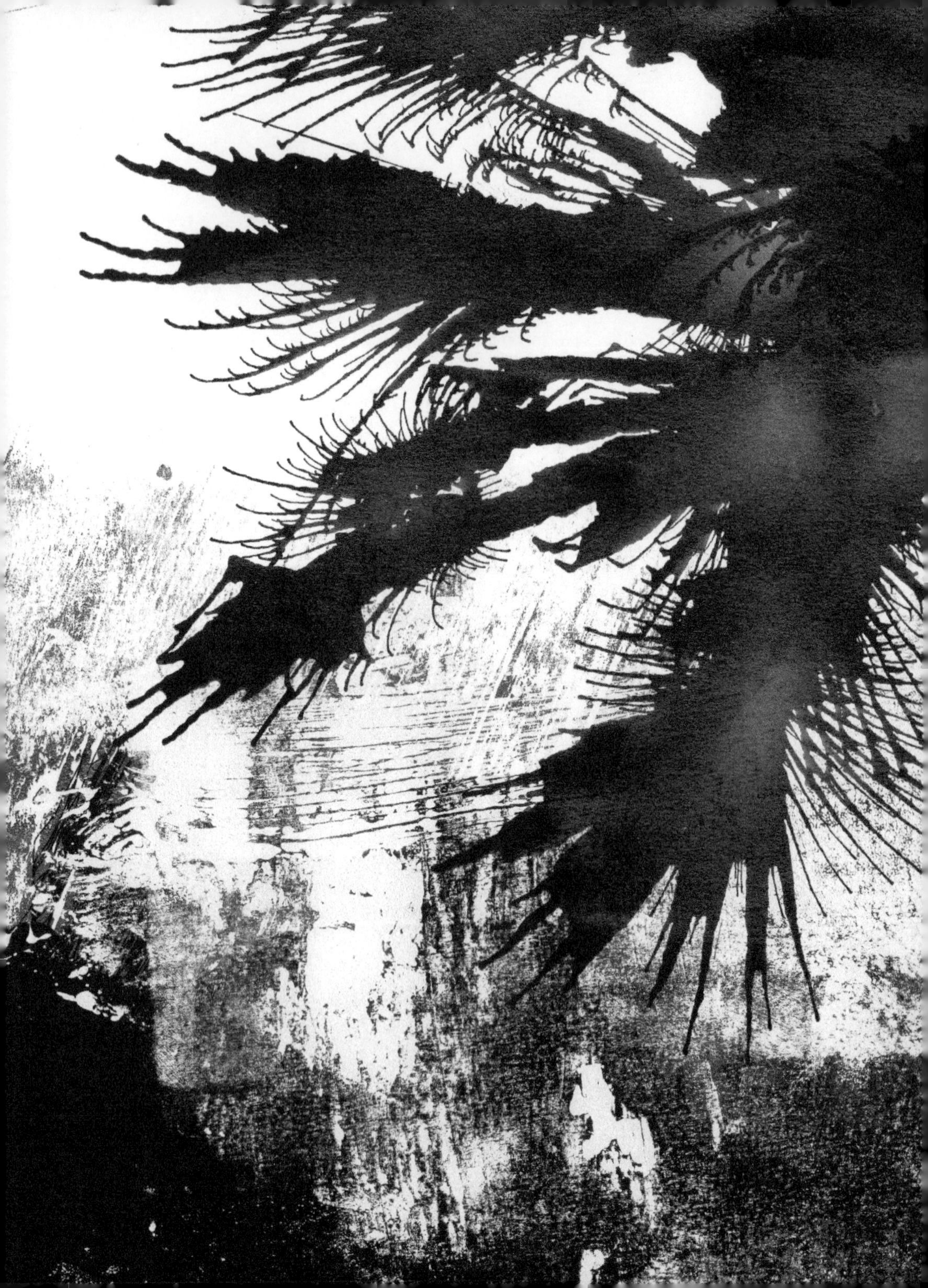

Só se é jovem uma vez, costumam dizer, mas a juventude não dura um bom tempo? Mais anos do que se pode aguentar.

Hilary Mantel, *Um experimento amoroso*

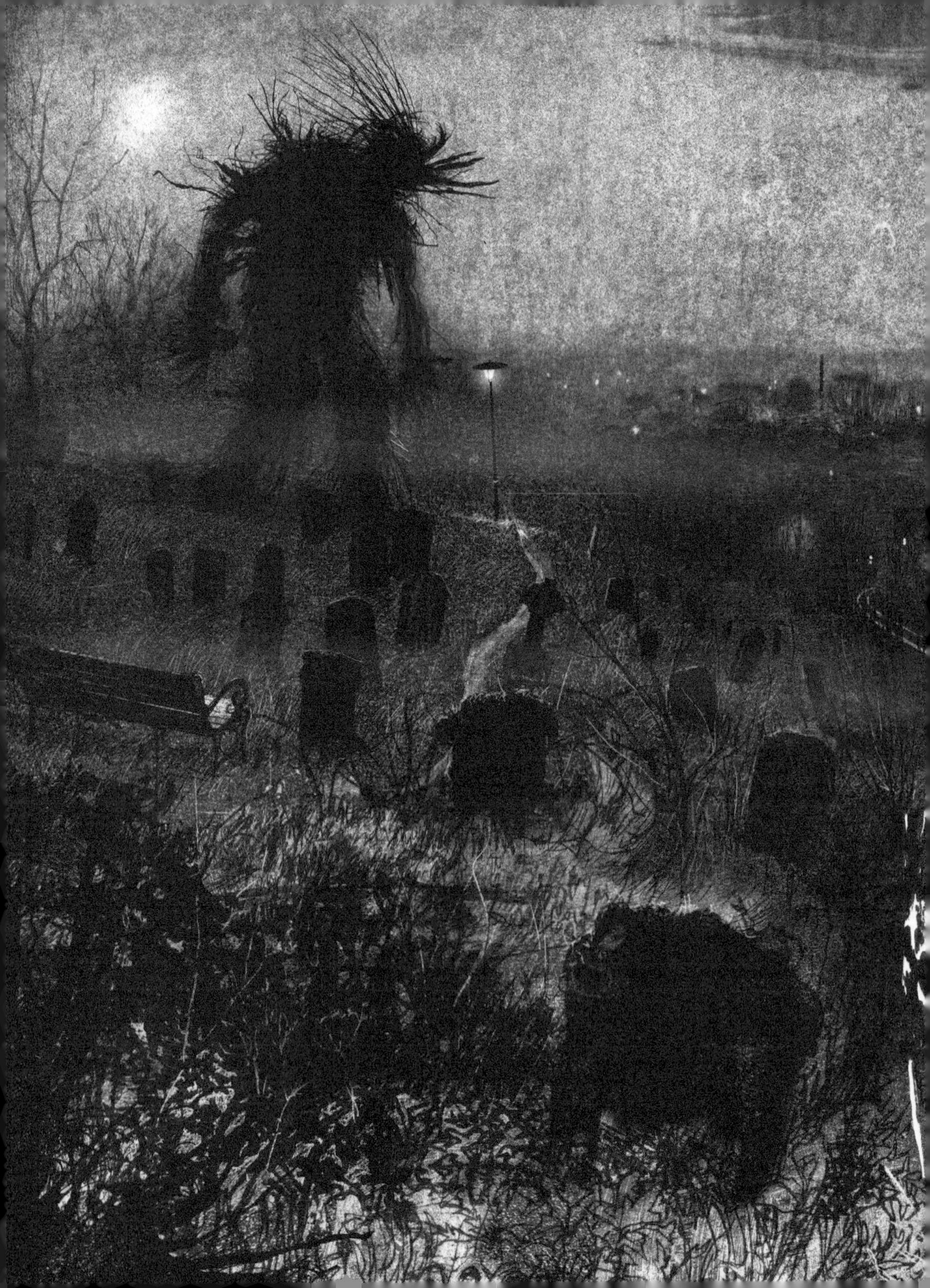

O CHAMADO DO MONSTRO

O monstro apareceu logo depois da meia-noite. Como costumam aparecer.

Conor estava acordado quando ele surgiu.

Ele havia tido um pesadelo. Bem, não *um* pesadelo. *O* pesadelo. Aquele que ele andava tendo sempre. Aquele da escuridão, do vento, dos gritos. Aquele das mãos escorregando por entre seus dedos, mesmo com todo esforço que ele fazia para segurá-las. Aquele que sempre terminava com...

"Cai fora", Conor sussurrou no escuro do seu quarto, tentando afugentar o pesadelo, não deixando que o seguisse até o mundo desperto. "Cai fora agora!"

Olhou para o relógio que sua mãe tinha colocado no criado-mudo. 12:07. Sete minutos depois da meia-noite. Tarde demais para ficar acordado no domingo, com aula no dia seguinte.

Não falou do pesadelo para ninguém. Não contou para a mãe, claro, mas também não falou para mais ninguém, nem para o pai, que ligava a cada quinze dias, mais ou menos, e *obviamente* nem para a avó, nem para ninguém na escola. De jeito nenhum.

O que acontecia no pesadelo era algo que ninguém precisava ficar sabendo.

Conor piscou, sonolento, e franziu os olhos. Algo não se encaixava. Sentou na cama, um pouco mais acordado. O pesadelo se apagava, mas havia algo de estranho que ele não conseguia tocar, algo diferente, algo...

Aguçou os ouvidos, tentando captar alguma coisa além do silêncio, mas tudo que pôde escutar foi a casa em sua completa quietude, um estalido ocasional que vinha do vazio lá de baixo, o farfalhar dos lençóis no quarto da mãe, ao lado.

Nada.

E, de repente, algo. Algo que logo ele percebeu que foi o que o acordou.

Alguém o chamava.

Conor.

Por um segundo, ele sentiu uma onda de pânico, seu estômago embrulhando. Teria sido seguido? Será que aquilo tinha conseguido escapar do pesadelo e...?

"Não seja idiota", disse para si mesmo. "Você está bem crescido para acreditar em monstros."

E estava mesmo. Tinha feito treze anos mês passado. Monstros eram coisa de bebezinhos. Monstros eram coisa de quem molhava a cama. Monstros eram...

Conor.

De novo. Conor engoliu em seco. Estava quente para outubro e sua janela tinha ficado aberta. Talvez as cortinas agitadas pela brisa tenham causado o ruído de...

Conor.

Tá certo, não era o vento. Era com certeza uma voz, mas não uma voz conhecida. Não era de sua mãe, de jeito nenhum. Não era uma voz feminina, e ele se perguntou por um instante se o pai não teria vindo, de surpresa, dos Estados Unidos e chegado muito tarde para telefonar e...

Conor.

Não. Não era seu pai. A voz tinha uma sonoridade única, um timbre *monstruoso*, selvagem, indomado.

E então, escutou um forte estrondo do lado de fora, como se alguma coisa gigantesca estivesse caminhando sobre um piso de madeira.

Ele não queria ir ver o que era. Mas, ao mesmo tempo, uma parte dele queria, mais do que qualquer outra coisa, ver o que era.

Completamente acordado, afastou as cobertas, saiu da cama e foi até a janela. Na meia-luz pálida do luar, pôde enxergar claramente a torre da igreja no alto do morro atrás da sua casa, o morro junto aos trilhos de trem, duas linhas de aço que reluziam estáticas na noite. A lua iluminava o cemitério ao lado da igreja, repleto de túmulos com inscrições já quase ilegíveis.

Conor também conseguia ver o teixo que ficava no centro do cemitério, uma árvore tão antiga que parecia feita das mesmas pedras da igreja. Ele só sabia que se tratava de um teixo porque sua mãe lhe ensinara isso quando ele era criança, dizendo que não dava para comer as frutinhas que cresciam nele, pois eram venenosas. Ela o relembrou do nome da árvore ano passado, quando ficou olhando pela janela da cozinha de um jeito esquisito e comentou: "Aquilo é um teixo, sabia?".

Então ele escutou seu nome outra vez.

Conor.

Como se estivessem sussurrando nos seus dois ouvidos.

"O que foi?", Conor perguntou, com o coração galopando, impaciente para descobrir o que aconteceria.

Uma nuvem passou em frente à lua, cobrindo toda a paisagem, e uma rajada de vento desceu pelo morro e chegou até seu quarto, levantando as cortinas. Ele escutou de novo estrondos de madeira partida, rugindo como um ser vivo, como se o estômago do mundo estivesse rosnando por comida.

A nuvem foi embora e a lua voltou a brilhar.

Iluminou o teixo.

Que agora estava parado no meio do seu quintal.

E ali estava o monstro.

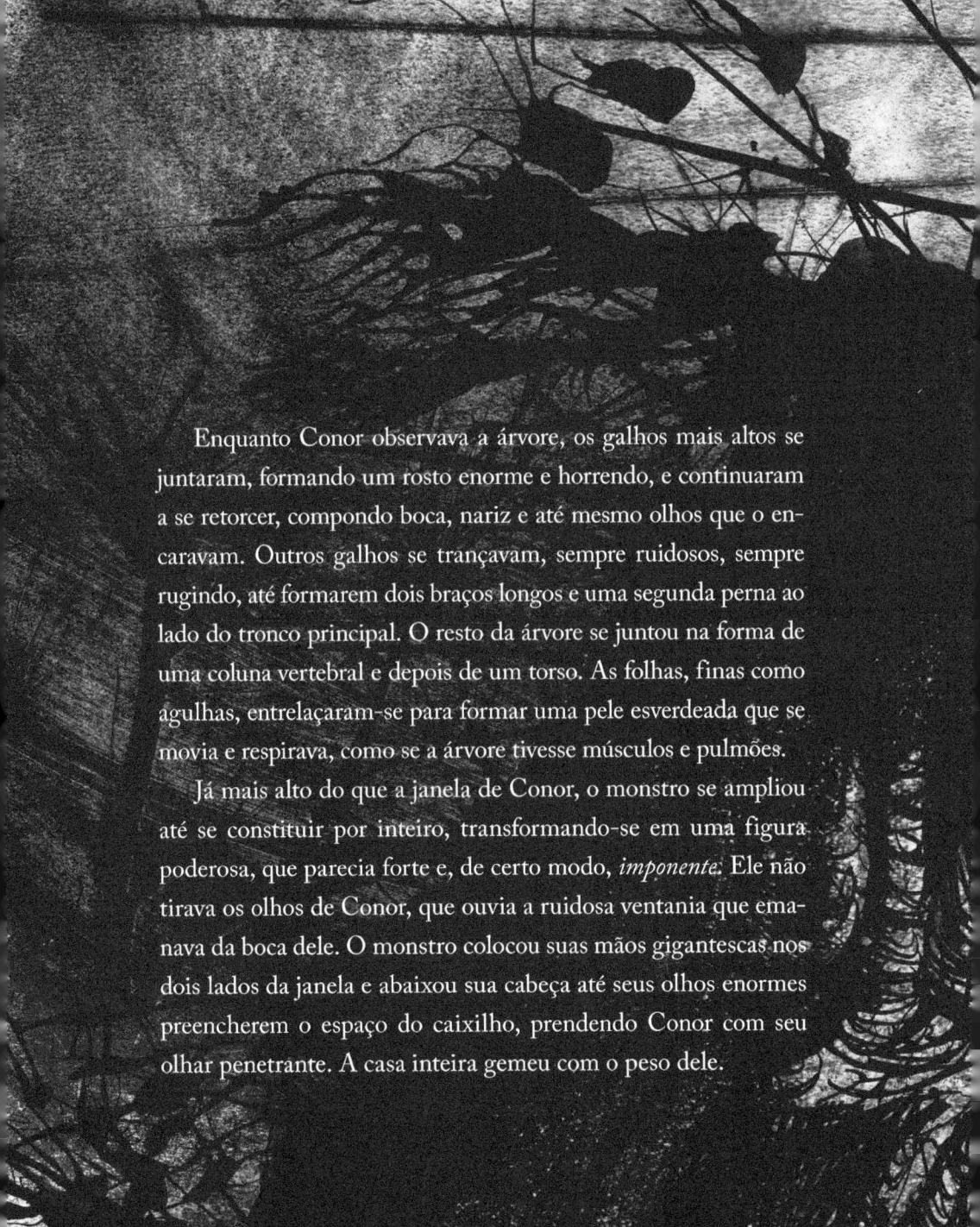

Enquanto Conor observava a árvore, os galhos mais altos se juntaram, formando um rosto enorme e horrendo, e continuaram a se retorcer, compondo boca, nariz e até mesmo olhos que o encaravam. Outros galhos se trançavam, sempre ruidosos, sempre rugindo, até formarem dois braços longos e uma segunda perna ao lado do tronco principal. O resto da árvore se juntou na forma de uma coluna vertebral e depois de um torso. As folhas, finas como agulhas, entrelaçaram-se para formar uma pele esverdeada que se movia e respirava, como se a árvore tivesse músculos e pulmões.

Já mais alto do que a janela de Conor, o monstro se ampliou até se constituir por inteiro, transformando-se em uma figura poderosa, que parecia forte e, de certo modo, *imponente*. Ele não tirava os olhos de Conor, que ouvia a ruidosa ventania que emanava da boca dele. O monstro colocou suas mãos gigantescas nos dois lados da janela e abaixou sua cabeça até seus olhos enormes preencherem o espaço do caixilho, prendendo Conor com seu olhar penetrante. A casa inteira gemeu com o peso dele.

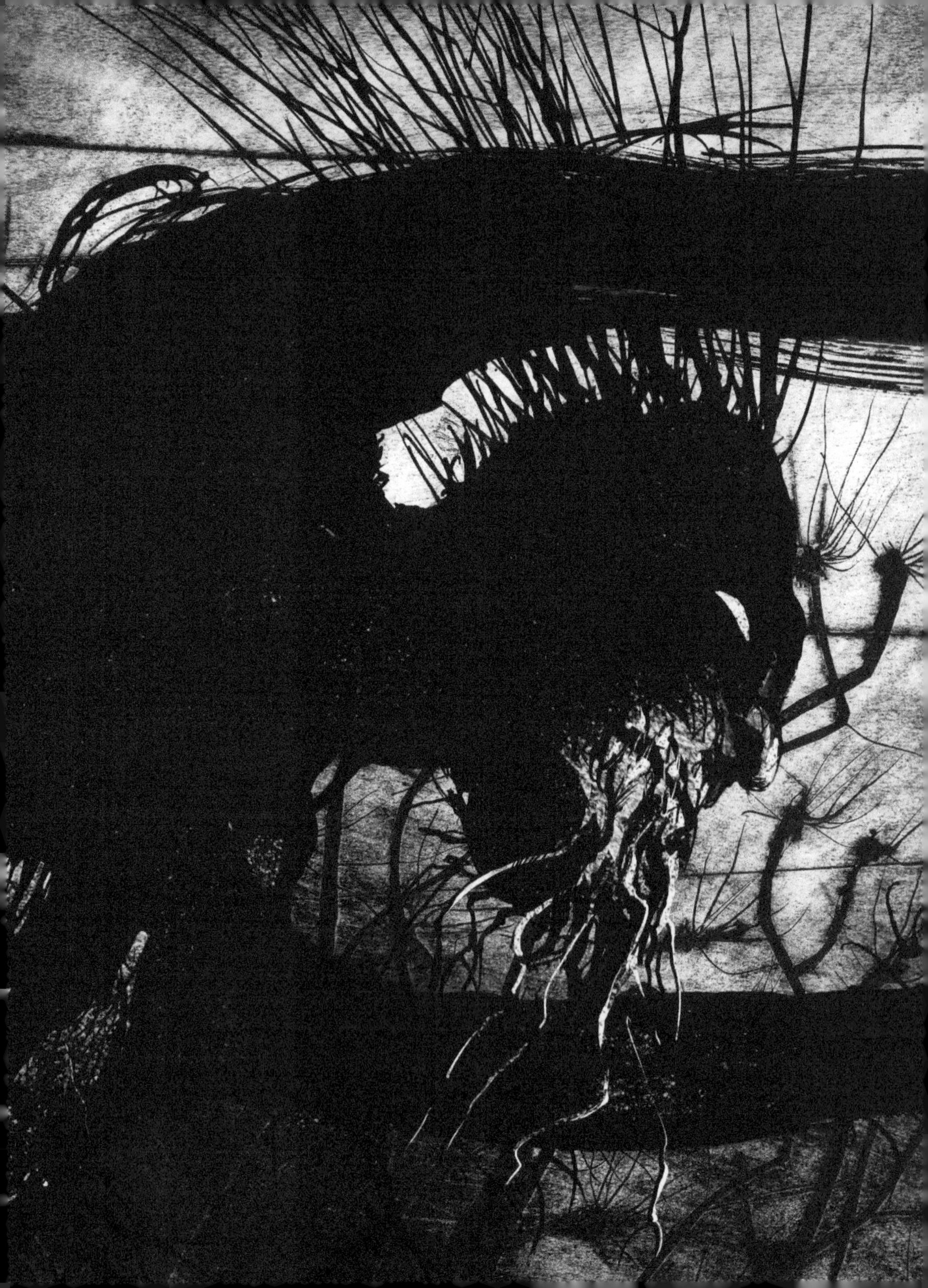

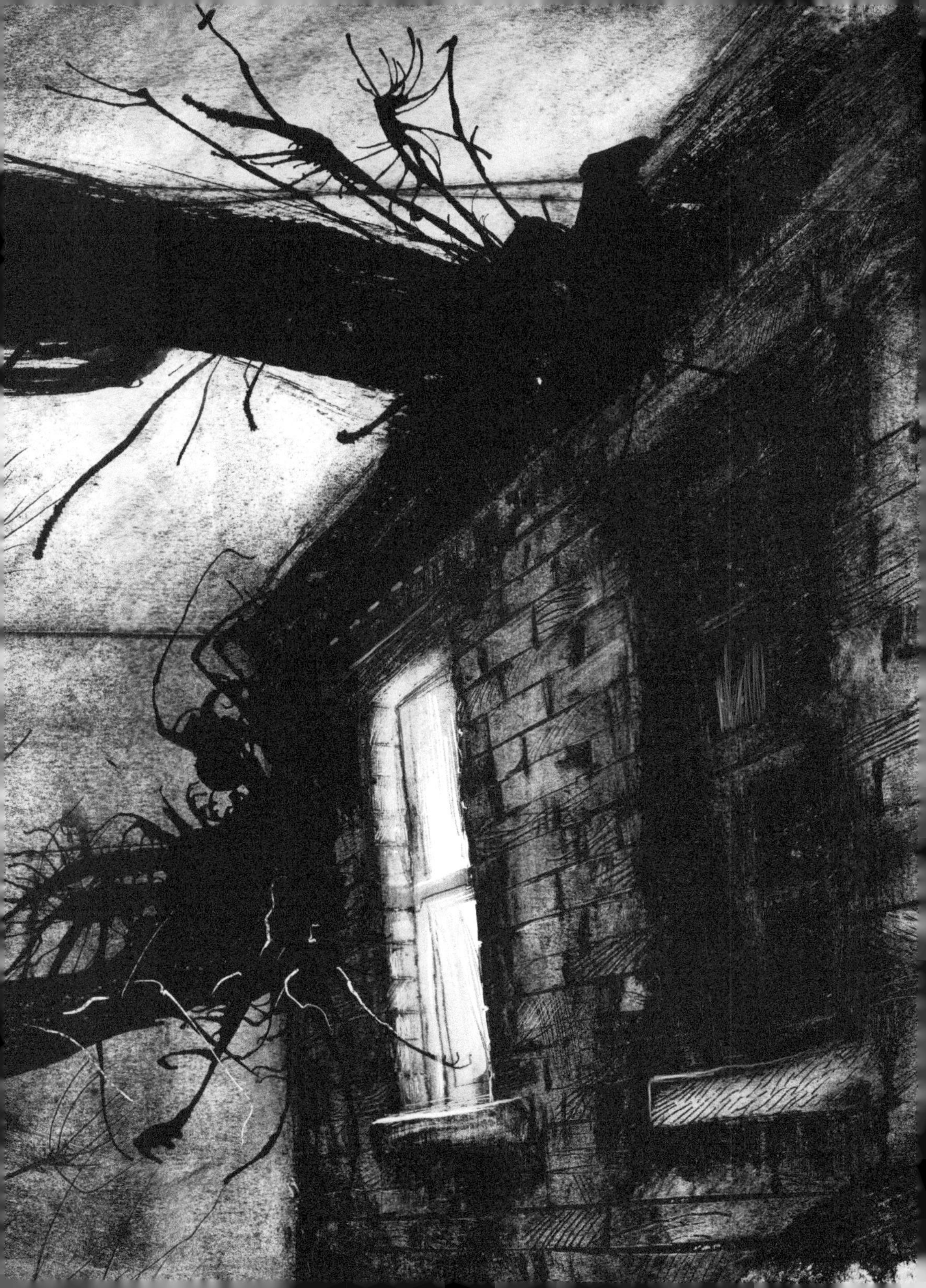

E então, o monstro falou.

Conor O'Malley, ele disse, e sua respiração lançou uma lufada de ar quente com cheiro de terra pela janela, levantando o cabelo de Conor. A voz era grave e estrondosa, com uma vibração tão profunda que o garoto podia senti-la no peito.

Eu vim buscar você, Conor O'Malley, falou o monstro, apoiando-se na casa, sacudindo os quadros das paredes e derrubando livros, aparelhos eletrônicos e um velho rinoceronte de pelúcia no chão.

Um monstro, pensou Conor. Um monstro de verdade. Na vida real, com ele desperto. Não em um sonho, mas aqui, na janela do seu quarto.

Tinha vindo buscá-lo.

Mas Conor não fugiu.

Na verdade, ele nem sequer estava assustado.

Tudo que ele sentia, tudo que ele *sentiu* desde que o monstro apareceu, foi uma decepção crescente.

Porque este não era o monstro que ele esperava.

"Então vem me pegar", ele disse.

Um estranho silêncio se abateu.

O que foi que você disse?, perguntou o monstro.

Conor cruzou os braços. "Eu disse: então vem me pegar."

O monstro parou por um momento e, em seguida, com um *rugido*, bateu com os dois punhos na casa. O teto tremeu com o impacto e rachaduras enormes surgiram nas paredes. Uma ventania percorreu o quarto trovejando com seus urros.

"Grite o quanto quiser", Conor deu de ombros, mal elevando a voz. "Já vi coisa muito pior."

A criatura urrou ainda mais forte e deu um soco na janela de Conor, rompendo vidro, madeira e tijolo. Um galho gigantesco e retorcido da mão do monstro agarrou o garoto pela cintura e o levantou do chão. Ele foi puxado para fora do quarto e ficou pendurado no ar, bem acima do seu quintal. O monstro elevou Conor contra a silhueta da lua, segurando o garoto com tanta força que ele mal conseguia respirar. Na boca aberta do monstro, Conor pôde ver os dentes lanhados, de madeira rígida e nodosa. Sentiu o hálito quente em sua direção.

Então, o monstro parou outra vez.

Você não está com medo, está?

"Não", disse Conor. "Pelo menos não de você."

O monstro franziu as sobrancelhas.

Você vai ficar, ele falou. *Antes do fim.*

E a última coisa de que Conor pôde se lembrar foi do monstro abrindo bem a boca para engoli-lo vivo.

CAFÉ DA MANHÃ

"Mãe?" Conor chamou, ao pôr os pés na cozinha. Sabia que ela não estaria lá – não escutou o ruído da chaleira fervendo, a primeira coisa que ela providenciava de manhã – mas ultimamente estava acostumado a chamá-la sempre que entrava em algum lugar da casa. Não queria assustá-la, caso ela tivesse adormecido sem querer em um canto qualquer.

Mas não tinha ninguém na cozinha. Isso significava que ela ainda estava na cama. Isso significava que Conor teria que preparar o café da manhã, o que ele já estava mais do que habituado a fazer. Tudo bem. *Ótimo*, para falar a verdade, ainda mais *naquela* manhã.

Ele caminhou apressado até a lixeira e socou fundo o saco plástico que carregava, cobrindo-o com outros restos de lixo para disfarçar.

"Pronto", comentou consigo, e ficou ali respirando por um instante. Então acenou com a cabeça e ordenou a si mesmo: "Café da manhã."

Pão na torradeira, cereal na tigela, suco no copo e pronto, era só sentar à pequena mesa da cozinha e comer. Sua mãe comia um pão e um cereal diferentes, que ela comprava em uma loja de comidas naturais na cidade e que Conor, ainda bem, não era obrigado a compartilhar. O gosto era tão triste quanto a aparência.

Conor olhou o relógio. Faltavam vinte e cinco minutos para sair. Ele já estava de uniforme e com a mochila arrumada, ao lado da porta. Tudo organizado por ele mesmo.

Sentou de costas para a janela da cozinha, a que ficava sobre a pia e dava vista para o pequeno quintal deles, os trilhos de trem e a igreja com o cemitério.

E o teixo.

Pegou outro punhado de cereal. Sua mastigação era o único ruído na casa toda.

Tinha sido um sonho. O que *mais* poderia ser?

Ao acordar pela manhã, a primeira coisa que fez foi olhar para a janela. Ela continuava lá, claro, sem nenhum estrago, sem nenhum buraco enorme dando para o quintal. *Claro* que tinha sido um sonho. Só um bebezinho para achar que aquilo havia mesmo acontecido. Só um bebezinho para acreditar que uma árvore – fala sério, uma *árvore* – teria vindo morro abaixo e atacado a casa.

Ele riu do próprio pensamento, da bobagem que era aquilo tudo, e saiu da cama.

Ouviu o som de algo esmigalhando debaixo de seus pés.

O chão do quarto estava coberto de folhas de teixo pequenas e pontiagudas.

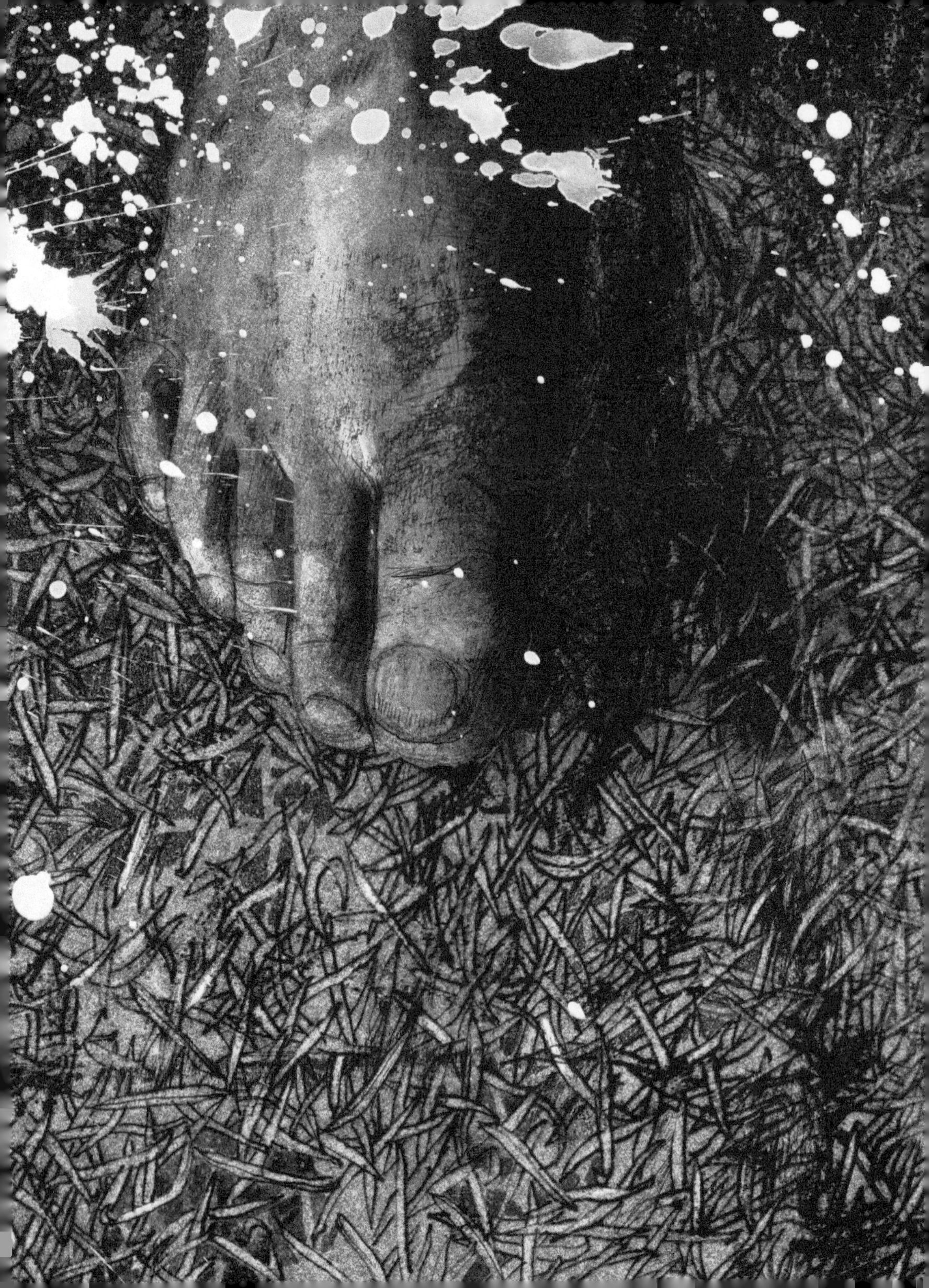

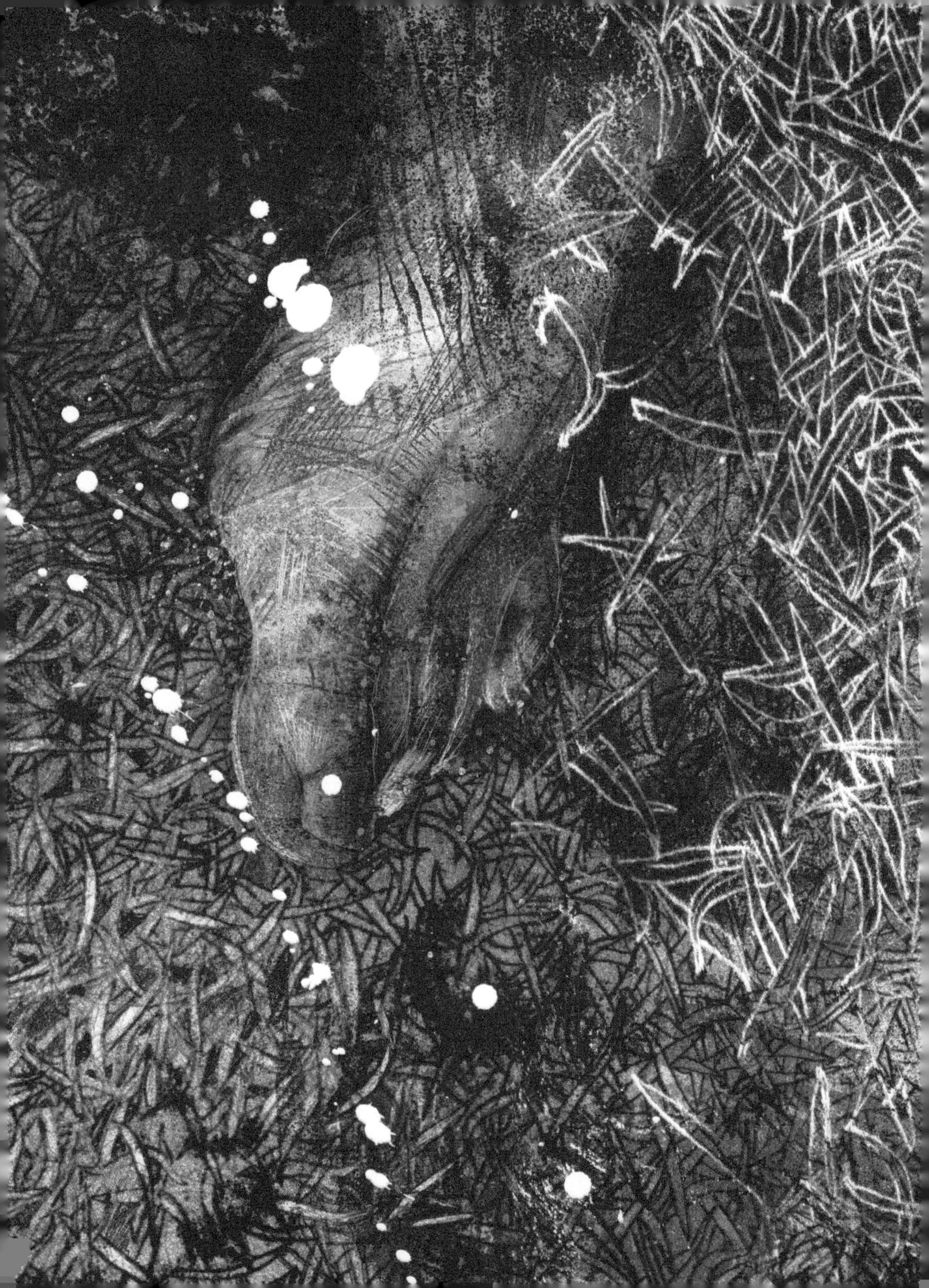

Ele colocou mais um punhado de cereal na boca, sem nem olhar para a lixeira onde estava o saco plástico cheio de folhas que havia varrido assim que acordou.

Tinha ventado muito à noite. Claro que as folhas entraram pela fresta da janela.

Claro.

Terminou de comer o cereal e a torrada, tomou o último gole de suco, enxaguou a louça e colocou na máquina de lavar. Ainda tinha vinte minutos. Resolveu esvaziar a lata de lixo – seria menos arriscado – então levou o saco até a lixeira na frente de casa. Como teria que ir lá fora, aproveitou para levar também o lixo reciclável. E pôs uns lençóis na máquina de lavar, para estender no varal quando chegasse da escola.

Voltou para a cozinha e olhou o relógio.

Ainda faltavam dez minutos.

Nenhum sinal de...

"Conor?", escutou, do alto da escada.

Ele soltou a respiração com força, sem perceber que a estava prendendo.

"Já tomou café?", perguntou a mãe, apoiando no batente da porta da cozinha.

"Tomei, mãe", respondeu Conor, mochila na mão.

"Certeza?"

"*Tomei*, mãe."

Ela o encarou com desconfiança. Conor revirou os olhos. "Torrada, cereal e suco", listou. "E coloquei a louça na máquina."

"E tirou o lixo", sua mãe falou baixinho, contemplando a organização da cozinha.

"Botei uns lençóis pra lavar também."

"Você é um bom menino", ela disse e, apesar de estar sorrindo, ele sentiu um pouco de tristeza na sua voz. "Desculpa não ter levantado."

"Tudo bem."

"É só durante essa nova fase de..."

"*Tudo bem*", repetiu Conor.

Ela parou de falar, mas continuou sorrindo. Ainda não tinha colocado o lenço e, sem os cabelos, sua cabeça parecia muito macia e frágil na luz da manhã, como se fosse a de um bebê. O estômago de Conor se contorceu ao vê-la assim.

"Você fez algum barulho ontem de noite?", ela perguntou.

Conor congelou. "Que horas?"

"Meia-noite e pouco, eu acho", ela falou, acendendo o fogão para aquecer a chaleira. "Achei que estava sonhando, mas posso jurar que ouvi a sua voz."

"Eu devo ter falado dormindo", Conor respondeu, monocórdio.

"Acho que sim" ela falou, bocejando, enquanto pegava uma caneca na prateleira ao lado da geladeira. "Esqueci de avisar", continuou, tranquila, "sua avó vem pra cá amanhã."

Os ombros de Conor afundaram. "Ah, *mãe*."

"Eu sei", ela concordou, "mas não é certo que você tenha que preparar seu café todos os dias."

"*Todos* os dias?" Conor se apavorou. "Quanto tempo ela vai ficar aqui?"

"Conor..."

"A gente não precisa dela aqui..."

"Você sabe como eu fico nessa fase dos tratamentos, Conor..."

"Mas a gente tá se virando bem até agora..."

"*Conor*", sua mãe o interrompeu tão bruscamente que pegou os dois de surpresa. Ficaram em silêncio. Então ela sorriu outra vez, parecendo muito, muito cansada.

"Vou fazer o máximo pra que seja breve, tá?", ela prometeu. "Sei que você não gosta de emprestar seu quarto, e eu sinto muito. Eu não pediria para ela vir se eu não precisasse, certo?"

Conor dormia no sofá sempre que a avó vinha visitá-los. Mas esse não era o problema. Conor não gostava do jeito que ela *falava* com ele, como se fosse a chefe e ele um empregado sendo avaliado. Uma avaliação em que ele ia se dar mal. E eles *sempre* conseguiam dar um jeito em tudo, só os dois, por pior que sua mãe se sentisse com os tratamentos, era o preço que ela tinha que pagar para ficar boa, então por que...?

"É só por algumas noites", falou ela, como se pudesse ler o que se passava pela cabeça dele. "Não se preocupe, tá?"

Ele ficou abrindo e fechando o zíper da mochila, sem falar nada, tentando pensar em outras coisas. E então se lembrou do saco cheio de folhas que tinha escondido no lixo.

Deixar sua avó ficar no seu quarto talvez não fosse a pior coisa do mundo.

"Aí está o sorriso que eu amo", disse sua mãe enquanto pegava a chaleira. E completou, fingindo pavor: "Ela vai me trazer uma daquelas *perucas* velhas dela, dá pra imaginar?". Passou a mão livre pela cabeça careca. "Vou parecer uma versão zumbi da Margaret Thatcher."

"Estou atrasado", falou Conor, de olho no relógio.

"Tá bom, querido", ela respondeu, inclinando para beijá-lo na testa. "Você é um bom menino", repetiu. "Eu queria que você não precisasse ser *tão* bom assim."

Enquanto saía, observou a mãe tomando um gole de chá em frente à janela da cozinha e, ao abrir a porta da rua, escutou-a comentar "E lá está o velho teixo", como se conversasse consigo mesma.

ESCOLA

Assim que levantou, sentiu gosto de sangue na boca. Tinha mordido a parte interna do lábio ao bater no chão, e era nisso que prestava atenção ao levantar, o estranho sabor metálico que dava vontade de cuspir no mesmo instante, como se tivesse colocado na boca algo que não fosse comestível.

Mas engoliu o sangue. Harry e seus comparsas adorariam saber que Conor estava sangrando. Ele conseguia escutar as risadas de Anton e Sully atrás dele, sabia exatamente qual era a expressão do rosto de Harry, mesmo sem poder enxergá-lo. Era até mesmo capaz de adivinhar o que Harry diria em seguida, naquela sua voz tranquila e engraçadinha que imitava um tipo de adulto que ninguém gostaria de conhecer.

"Cuidado por onde pisa", Harry falou. "Você pode cair."

É, acertou em cheio.

Não foi sempre assim.

Harry era um adorável menininho loiro, o queridinho dos professores ano após ano.

O primeiro aluno a levantar a mão para dizer a resposta, o mais rápido nas partidas de futebol, mas, apesar de tudo, apenas mais um garoto na sala de Conor. Os dois não eram exatamente amigos – Harry não tinha amigos de verdade, apenas seguidores: Anton e Sully ficavam atrás dele, gargalhando de tudo que ele fazia – mas não eram exatamente inimigos também. Conor até ficaria surpreso se Harry soubesse seu nome.

Em algum momento do último ano, porém, algo mudou. Harry passou a notar Conor, perceber que ele existia, observá-lo como se ele fosse um passatempo interessante.

Essa mudança não surgiu quando tudo começou a acontecer com a mãe de Conor. Não, veio depois, quando o pesadelo apareceu, o *verdadeiro* pesadelo, não o da árvore idiota, e sim o pesadelo dos gritos e da queda, o pesadelo que ele nunca contaria a ninguém. Foi quando Conor começou a ter *aquele* pesadelo que Harry percebeu sua existência, como se uma marca secreta tivesse sido gravada nele e só Harry pudesse enxergá-la.

Uma marca que puxava Harry para ele como metal perto de um ímã.

No primeiro dia de aula, Harry deu uma rasteira em Conor na entrada da escola, derrubando-o no chão.

E assim começou.

E assim continuou.

—— • ——

Conor permaneceu de costas enquanto Anton e Sully riam. Passou a língua pela parte interna do lábio para sentir o tamanho do estrago. Nada de mais. Ele sobreviveria, era só voltar para a classe sem que mais nada acontecesse.

Mas algo aconteceu.

"Deixa ele em paz!", Conor escutou e estremeceu.

Ele virou e viu Lily Andrews furiosa, o rosto dela empurrando o de Harry, o que só aumentou as risadas de Anton e Sully.

"O seu poodle chegou pra salvar você", anunciou Anton.

"Só quero que a luta seja justa", Lily bufou. Seus cabelos crespos balançavam lembrando mesmo um poodle, por mais que ela os prendesse.

"Você está sangrando, O'Malley", Harry disse, ignorando Lily.

Conor colocou a mão na boca tarde demais para esconder o fiozinho de sangue que escorria pelo canto.

"Pra sarar vai precisar de um beijinho da mamãe careca!", vibrou Sully.

O estômago de Conor se contraiu como uma bola de fogo, como um pequeno sol queimando dentro dele, mas, antes que pudesse reagir, Lily entrou em ação. Com um grito de fúria, ela empurrou Sully que, surpreso, caiu em cima de um arbusto.

"Lillian Andrews!", sentenciou uma voz grave, vinda do outro extremo do pátio.

Eles congelaram. Até Sully paralisou na posição em que estava, sem se levantar totalmente. A sra. Kwan, a monitora, vinha enfurecida na direção deles, franzindo tão forte a sobrancelha que sua testa parecia talhada por uma cicatriz.

"Eles que começaram, professora", disse Lily, na defensiva.

"Não quero saber quem começou", a sra. Kwan respondeu. "Você está bem, Sullivan?"

Sully lançou um rápido olhar para Lily e fez uma careta de dor. "Não sei, professora", ele falou. "Acho que preciso ir pra casa."

"Não exagere", disse a sra. Kwan. "Para minha sala, Lillian."

"Mas, professora, eles estavam..."

"*Agora*, Lillian."

"Eles estavam rindo da mãe do Conor!"

Isso deixou todos paralisados outra vez, e o sol flamejante dentro do estômago de Conor ardeu ainda mais, pronto para engoli-lo vivo.

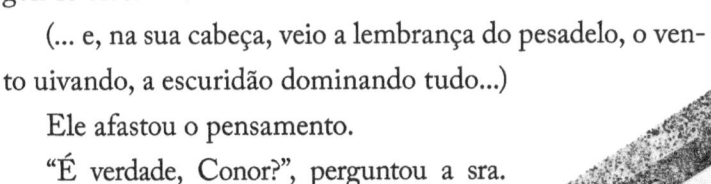

(... e, na sua cabeça, veio a lembrança do pesadelo, o vento uivando, a escuridão dominando tudo...)

Ele afastou o pensamento.

"É verdade, Conor?", perguntou a sra. Kwan, o rosto sério numa repreensão.

O gosto de sangue na boca de Conor lhe deu vontade de vomitar. Olhou para Harry e seus amigos. Anton e Sully pareciam preocupados, mas Harry o encarava, plácido e calmo, como se estivesse genuinamente curioso para saber o que Conor responderia.

"Não, professora, não é verdade", Conor falou, engolindo o sangue. "Eu caí. Eles estavam me ajudando a levantar."

O rosto de Lily acusou surpresa e mágoa. Sua boca estava aberta, mas sem emitir som algum.

"Todos para a aula", ordenou a sra. Kwan. "Menos você, Lillian."

Lily continuou olhando para Conor enquanto a sra. Kwan a conduzia, mas ele lhe virou as costas.

E, ao fazer isso, deu de cara com Harry, que segurava sua mochila.

"Muito bom, O'Malley", o garoto disse.

Conor não respondeu nada, só arrancou a mochila bruscamente das mãos dele e seguiu em direção à sala.

A ESCRITA DA VIDA

Histórias, Conor pensou com repulsa, enquanto ia para casa.

A aula já terminara, e ele tinha conseguido escapar. Passou o dia todo evitando Harry e seus amigos, embora eles provavelmente não fossem causar outro "acidente" no mesmo dia em que quase foram pegos pela sra. Kwan. Também evitou Lily, que voltou para a aula com os olhos vermelhos, inchados, e uma carranca assustadora. Quando o sinal tocou, Conor saiu como um raio, sentindo que o peso da escola, de Harry e de Lily ia se soltando dos seus ombros à medida que se afastava, colocando uma rua, depois outra, entre si mesmo e tudo aquilo.

Histórias, pensou outra vez.

"*Suas* histórias", tinha dito a sra. Marl durante a aula. "Não pensem que por serem novos vocês ainda não têm histórias para contar."

Escrita da vida, esse era o título da redação que eles teriam que criar sobre si mesmos. Árvore genealógica, lugar onde moravam, viagens de férias e lembranças alegres.

Coisas importantes que tinham acontecido.

Conor ajustou a mochila nos ombros. Conseguia pensar em diversas coisas importantes que tinham acontecido. Mas não gostaria de escrever sobre nenhuma delas. Seu pai indo embora. O gato que um dia saiu e nunca mais voltou.

A tarde em que sua mãe anunciou que eles precisavam ter uma conversa.

Seu rosto se crispou e ele continuou andando.

Então, lembrou do dia *anterior* ao da conversa. Sua mãe o levou ao seu restaurante indiano favorito e deixou ele pedir *vindaloo* à vontade. Ela ria e repetia "Por que não, né?", pedindo vários pratos para ela também. Eles começaram a soltar puns antes mesmo de chegar ao carro. Na volta para casa, mal conseguiam conversar, de tanto que riam e peidavam.

Conor sorriu só de lembrar. Porque no final não foi uma volta para casa *comum*. Foi uma ida surpresa ao cinema numa noite no meio da semana para assistir a um filme que Conor já tinha visto quatro vezes, e que sua mãe não aguentava mais. E, mesmo assim, lá estavam eles mais uma vez, rindo de si mesmos, comendo baldes de pipoca e bebendo litros de Coca-Cola.

Conor não era bobo. Quando eles tiveram a "conversa" no dia seguinte, ele entendeu o que sua mãe tinha feito e por que ela tinha feito. Mas isso não estragou a diversão da noite anterior. O quanto eles riram. Como qualquer coisa parecia possível. Como qualquer coisa boa podia ter acontecido a eles bem ali, naquele exato momento, que nem os deixaria surpresos.

Mas ele não ia escrever sobre *isso* também.

"Ei!" A voz que o chamava o fez resmungar. "Ei, Conor, espera!"

Lily.

"Ei!", Lily repetiu, alcançando-o e se colocando na sua frente, obrigando-o a frear. Ela estava sem ar, mas continuava furiosa. "Por que você fez aquilo?", perguntou.

"Não enche", falou Conor, desviando da menina.

"Por que você não disse pra sra. Kwan o que aconteceu de verdade?", insistiu Lily, indo atrás dele. "Por que você deixou eu me ferrar?"

"Por que você se meteu onde não foi chamada?"

"Eu queria te *ajudar*."

"Não preciso da sua ajuda", retrucou Conor. "Eu sei me virar."

"Não sabe não!", respondeu Lily. "Você estava sangrando."

"Não *se mete*", Conor falou rispidamente e acelerou o passo.

"Levei *uma semana* de detenção", reclamou Lily. "E vou ter que entregar uma advertência pros meus pais."

"Não me interessa."

"Mas a culpa é sua."

Conor parou de repente e se virou para ela. Ele parecia tão bravo que Lily recuou, sobressaltada, quase com medo. "A culpa é *sua*", ele disse. "É *tudo* culpa sua."

Conor disparou pela calçada. "A gente era amigo", Lily ainda falou.

"*Era*", Conor respondeu sem se virar.

Ele conhecia Lily desde sempre. Ou desde que podia se lembrar, dava no mesmo.

As mães eram amigas antes de os dois nascerem. Lily foi praticamente uma irmã que vivia em outra casa, principalmente nos dias em que uma das mães deixava o filho para a outra cuidar. Ele e Lily eram apenas amigos, apesar das piadinhas sobre namoro que o pessoal da escola fazia. Na verdade, era até difícil Conor pensar nela como uma *garota*, pelo menos uma garota como as outras da escola. Como, se aos cinco anos os dois fizeram papel de ovelha na peça de Natal do prezinho? Se ele sabia o tanto que ela cutucava o nariz? Se *ela* sabia por quanto tempo ele precisou deixar a luz acesa para dormir depois que o pai dele foi embora? Era apenas uma amizade, igual a qualquer outra.

Mas então aconteceu a "conversa" com sua mãe, e o que veio em seguida foi simples, intenso e repentino.

Ninguém sabia de nada.

Daí a mãe de Lily ficou sabendo, claro.

Daí Lily ficou sabendo.

Daí todo mundo ficou sabendo. Todo mundo. E isso mudou tudo em um único dia.

E ele nunca a perdoaria por isso.

Mais uma rua e mais outra rua e lá estava sua casa, pequena e isolada. Foi a única coisa que sua mãe exigiu no divórcio: que a casa ficasse para eles, assim não precisariam se mudar quando o pai de Conor partisse para os Estados Unidos com Stephanie, a nova mulher. Isso tinha acontecido há seis anos, tanto tempo que agora Conor nem sequer lembrava como era ter um pai em casa.

Mesmo que ele ainda pensasse nisso.

Olhou para o morro atrás da casa, a torre da igreja espetando o céu nublado.

E o teixo erguido sobre o cemitério, como um gigante adormecido.

Conor se obrigou a olhar fixamente para ele, para se convencer de que era uma árvore, apenas uma árvore igual a qualquer outra, como tantas que acompanhavam a linha do trem.

Uma árvore. Só isso. Era *só* isso. Uma árvore.

Uma árvore que, enquanto ele a observava, ergueu seu rosto gigantesco para encará-lo em plena luz do dia, seus braços se alongando, sua voz chamando, *Conor*...

Ele deu um passo tão brusco para trás que, se não tivesse se apoiado no capô de um carro, teria caído no meio da rua.

Quando conseguiu se equilibrar, o teixo tinha voltado a ser apenas uma árvore.

TRÊS HISTÓRIAS

Naquela noite ele foi para cama sem o mínimo sono, encarando o relógio que ficava sobre o criado-mudo.

Tinha sido a noite mais tediosa possível. Preparar a lasanha congelada deixou sua mãe tão cansada que ela pegou no sono cinco minutos depois que começou *EastEnders*. Conor detestava aquele programa mas mesmo assim se certificou de que estava sendo gravado para que ela assistisse. Colocou um cobertor sobre a mãe e foi lavar a louça.

O celular tocou, mas não a acordou. Conor viu que era a mãe de Lily e deixou cair na caixa postal. Fez a lição de casa na mesa da cozinha, parando na tarefa da tal *Escrita da vida* que a sra. Marl tinha passado. Foi para o quarto, ficou um pouco na internet antes de escovar os dentes e ir para cama. Mal tinha apagado a luz quando sua mãe, pedindo mil desculpas – e totalmente grogue –, apareceu para lhe dar um beijo de boa-noite.

Alguns minutos depois, ele a escutou vomitando no banheiro.

"Precisa de ajuda?", perguntou da cama.

"Não, querido", ela respondeu, a voz fraca. "Já estou meio que acostumada."

Era isso. Conor também estava meio que acostumado. O segundo e o terceiro dia após o tratamento eram sempre os piores, eram os dias em que ela ficava mais cansada, os dias em que mais vomitava. Tinha se tornado quase normal.

Depois de um tempo, o barulho parou. Ele escutou o clique da luz sendo apagada e a porta do quarto, encostada.

Isso tinha sido há duas horas. E ele continuava acordado, esperando.

Mas o quê?

O relógio indicava 12:05. Depois, 12:06. Examinou a janela, bem fechada embora a noite estivesse agradável. O relógio marcou 12:07.

Levantou, foi até a janela e olhou para fora.

O monstro estava parado no seu jardim, encarando-o.

Abra, disse o monstro, sua voz nítida, como se não houvesse uma janela entre eles. *Quero conversar com você.*

"Falou", respondeu Conor, mantendo a voz baixa. "Porque é isso que os monstros querem. *Conversar.*"

O monstro sorriu. Era uma visão apavorante. *Se eu precisar entrar à força*, falou, *eu ficarei bem feliz em fazê-lo.*

Ele levantou seu punho de galho retorcido, pronto para estraçalhar a parede do quarto.

"Não!", exclamou Conor. "Não quero que você acorde minha mãe."

Então venha aqui fora, o monstro exigiu, e mesmo dentro do quarto Conor foi inundado pelo odor úmido de terra e madeira e seiva.

"O que você quer de mim?", Conor perguntou.

O monstro pressionou o rosto contra a janela.

Não é o que eu quero de você, Conor O'Malley, disse. *É o que **você** quer de **mim**.*

"Não quero nada de você", falou Conor.

Ainda não, falou o monstro. *Mas vai querer.*

"É apenas um sonho", Conor disse a si mesmo no quintal, observando a silhueta do monstro recortada pela lua. Cruzou os braços e os apertou com força, não por estar com frio, mas por não acreditar que tinha realmente descido as escadas nas pontas dos pés, destrancado a porta dos fundos e saído para o quintal.

Apesar disso estava calmo. O que era estranho. Este pesadelo – pois com certeza era um pesadelo, sem dúvida – era muito diferente do outro.

Nada de terror, nada de pânico, nada de escuridão, pra começar.

E ainda havia um monstro, iluminado como a mais clara das noites, se erguendo a uns dez ou quinze metros acima dele com sua respiração pesada no ar noturno.

"É apenas um sonho", repetiu.

Mas o que é um sonho, Conor O'Malley?, perguntou o monstro, curvando-se até aproximar seu rosto do de Conor. *Quem ousará dizer que não é o **resto** que é um sonho?*

Toda vez que o monstro se mexia, Conor escutava o ranger da madeira vergando e abrindo dentro daquele corpo enorme. Enxergava a força dos seus braços, grandes galhos emaranhados que se enroscavam e se moviam sem parar, formando os músculos, ligados a um enorme tronco que era seu peito, coroado por uma cabeça na qual estavam dentes capazes de destroçá-lo em uma mordida.

"O que você é?", perguntou Conor, apertando ainda mais os braços cruzados.

Não sou um "quê", respondeu o monstro, incomodado. *Sou um "quem"*.

"Quem é você, então?"

Os olhos ficaram enormes. *Quem sou eu?*, disse, a voz cada vez mais alta. ***Quem sou eu?***

O monstro parecia crescer na frente de Conor, ficando mais alto e mais largo. Soprou um vento forte e repentino, envolvendo os dois em um redemoinho, e o monstro abriu tanto os braços, tanto que eles pareciam grandes o suficiente para alcançar horizontes opostos, tanto que pareciam grandes o suficiente para rodear o mundo.

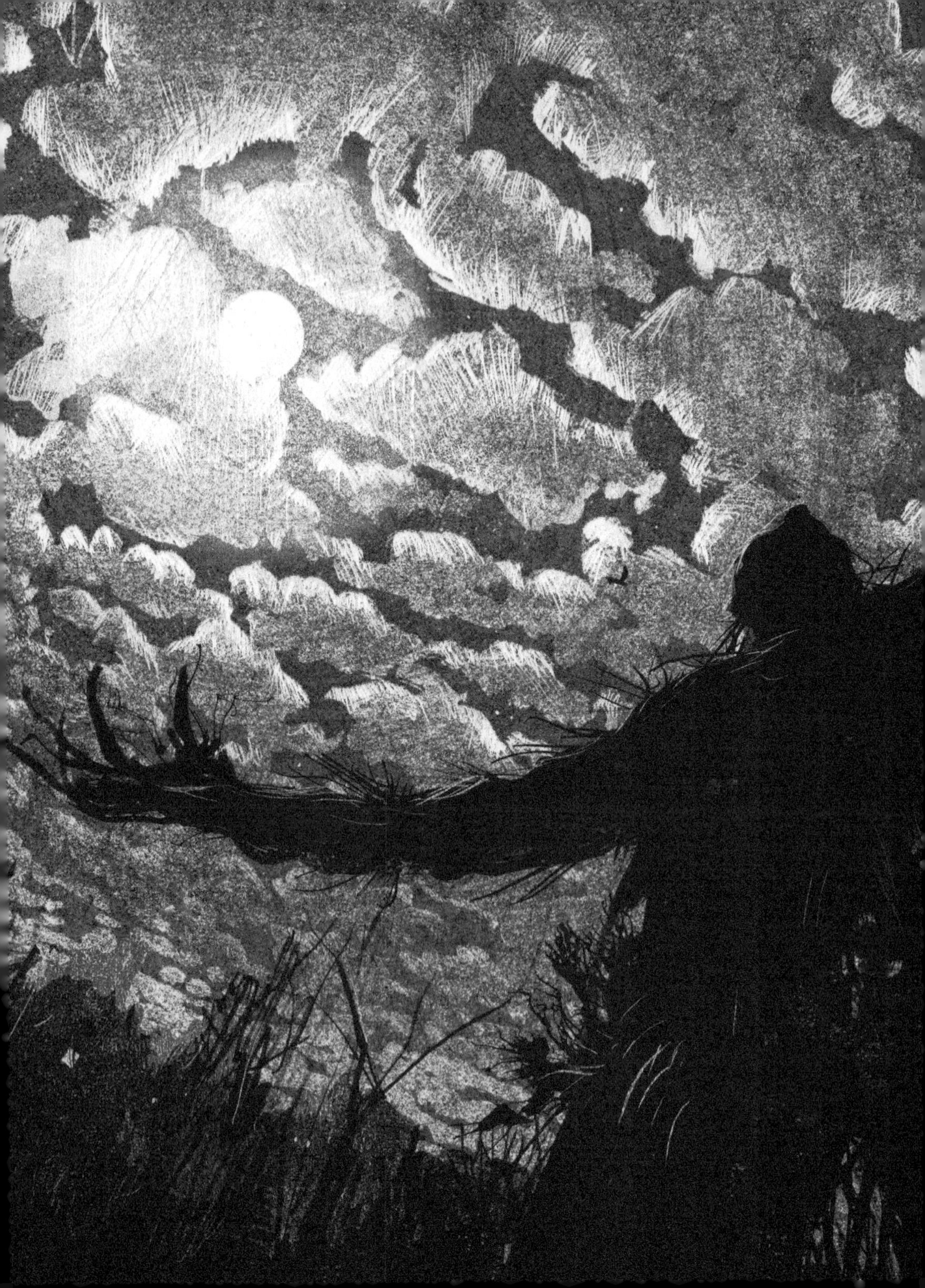

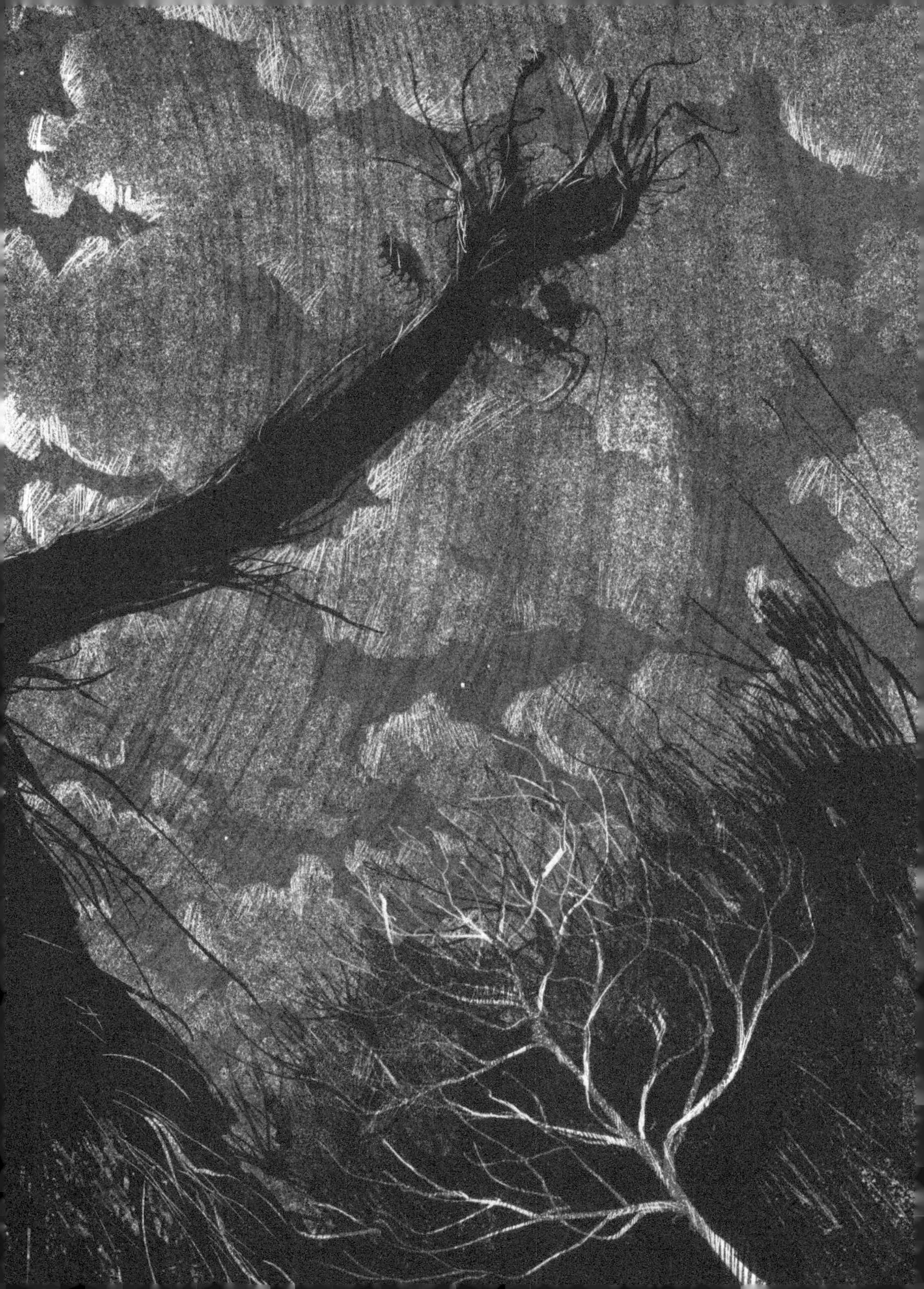

Tive tantos nomes quanto existem anos para contar o próprio tempo!, rugiu o monstro. *Eu sou Herne, o Caçador! Eu sou Cernuno! Eu sou o eterno Homem Verde!*

Um de seus enormes braços volteou e apanhou Conor, levantando-o no ar, o vento rodopiando, fazendo a pele de folhas do monstro encrespar.

Quem sou eu?, ele repetiu, ainda rugindo. *Sou a espinha dorsal das montanhas! Sou as lágrimas que os rios choram! Sou os pulmões que sopram o vento! Sou o lobo que mata o cervo, o falcão que mata o rato, a aranha que mata a mosca! Sou o cervo, o rato e a mosca que são devorados! Sou a serpente do mundo engolindo o próprio rabo! Sou tudo o que é indomado e indomável!* Ele aproximou Conor de seus olhos. *Sou a terra selvagem que veio até você, Conor O'Malley.*

"Você parece uma árvore", disse Conor.

O monstro o esmagou até ele reclamar.

Não é sempre que venho, menino, disse, *só em casos de vida ou morte. Faço questão de ser ouvido.*

O monstro afrouxou o aperto e Conor conseguiu respirar novamente. "E o que você quer *comigo*?", Conor perguntou.

O monstro arreganhou os dentes. O vento diminuiu e a quietude se instalou. *Finalmente*, disse ele. *Vamos ao que importa. O motivo pelo qual andei até aqui.*

O corpo de Conor tensionou, temendo o que estava por vir.

O que vai acontecer, Conor O'Malley, prosseguiu o monstro, *é que virei buscá-lo novamente em outras noites.*

O garoto sentiu seu estômago contrair, como se estivesse se preparando para receber um soco.

E vou contar três histórias. Três histórias de lugares por onde passei.

Conor pestanejou. "Você vai me contar *histórias*?"

Exato, respondeu o monstro.

"Bem..." Conor olhou em volta, descrente. "E o que tem de pesadelo *nisso*?"

Histórias são as coisas mais selvagens que existem, trovejou o monstro. *Histórias perseguem e caçam e mordem.*

"Isso é o que os *professores* sempre falam", resmungou o garoto. "E ninguém acredita neles."

E quando eu terminar de contar minhas três histórias, continuou o monstro, como se Conor não tivesse dito nada, *você irá me contar a quarta história.*

Ele se contorceu na mão do monstro. "Não sou bom para contar histórias."

Você me contará a quarta história, o monstro repetiu. *E será a verdade.*

"A verdade?"

*Não uma verdade qualquer. A **sua** verdade.*

"Tá *legal*", falou o menino. "Mas você disse que eu ficaria com medo antes de tudo acabar, e isso não parece nada assustador."

Você sabe que isso é mentira, o monstro respondeu. *Você sabe que a sua verdade, aquela que você esconde, Conor O'Malley, é a coisa que mais o apavora.*

Conor parou de se contorcer.

Ele não podia estar falando de...

De jeito nenhum podia estar falando de...

Não tinha como ele saber *aquilo*.

Não. *Não.* Ele *nunca* ia contar o que acontecia no verdadeiro pesadelo. Nunca, nem em um milhão de anos.

Você vai contar, disse o monstro. *Foi por isso que você me chamou.*

O garoto ficou ainda mais confuso. "*Chamar* você? Eu não *chamei* você..."

Você me contará a quarta história. Você me contará a verdade.

"E se eu não fizer isso?", desafiou Conor.

O monstro arreganhou os dentes mais uma vez. *Então eu o comerei vivo.*

Sua boca se abriu e ficou enorme, enorme o bastante para engolir o mundo inteiro, enorme o bastante para fazer Conor desaparecer para sempre...

Ele se sentou na cama com um grito.

Sua cama. Estava na sua cama de novo.

Claro que tinha sido um sonho. *Claro. Outra vez.*

Ele esfregou os olhos com as palmas das mãos. Como ia descansar tendo sonhos tão cansativos?

Vou beber um pouco d'água, pensou, jogando os lençóis para o lado. Depois recomeçaria a noite, esquecendo toda aquela história de sonhos que não faziam sentido e...

Ao sair da cama, sentiu algo esguichar sob seus pés.

Acendeu a luz. O chão estava coberto de frutinhas vermelhas e venenosas do teixo.

Que, vai saber como, tinham conseguido atravessar a janela fechada e trancada.

AVÓ

"Você está sendo um bom menino para sua mãe?"

A avó de Conor beliscou as bochechas do neto com tanta força que ele jurou que iam sangrar.

"Ele está sendo muito bom, *mã*", respondeu a mãe de Conor, dando uma piscadela para o filho. Ela usava seu lenço azul favorito na cabeça. "Então não precisa castigá-lo com esses apertões."

"Ah, bobagem", falou sua avó, dando dois tapinhas de brincadeira em cada bochecha de Conor, que acabaram doendo bastante. "Por que você não prepara um chá para nós?", ela sugeriu, mas de um jeito que não parecia um pedido.

Quando Conor deixou a sala, aliviado, sua avó pôs as mãos na cintura e olhou para a filha: "E agora, querida", ele escutou ao entrar na cozinha. "O que *a gente* faz com você?"

A avó de Conor não era como as outras. Ele já tinha encontrado a avó de Lily várias vezes e ela *sim* parecia com o que as avós devem ser: enrugada e sorridente, com cabelos brancos e tudo mais. Preparava refeições com três tipos de legumes cozidos para todos e, no Natal, ficava rindo à toa com um pequeno cálice de vinho nas mãos e uma coroa de papel na cabeça.

Já a avó *de Conor* usava calças de alfaiataria, pintava o cabelo para esconder o grisalho, e falava coisas que não faziam o menor sentido, tipo "Sessenta são os novos cinquenta" ou "Os carros antigos é que tinham uma lataria de verdade". O que *diabos* isso queria dizer? Ela mandava cartões de aniversário por e-mail, discutia sobre vinho com garçons e ainda por cima tinha um *emprego*. Sua casa conseguia ser pior, cheia de coisas antigas e caras das quais você não podia chegar perto, como um relógio que ela não deixava nem a faxineira tirar o pó. Isso era outra coisa esquisita. Que tipo de avó tem faxineira?

"Duas colherinhas de açúcar, sem leite", ela gritou na direção da cozinha enquanto Conor preparava o chá. Como se ele não soubesse disso depois das últimas três mil visitas dela.

"Obrigada, garoto", disse sua avó, quando ele trouxe o chá.

"Obrigada, querido", falou sua mãe, sorrindo para Conor fora do campo de visão da mãe dela, e o convidando a se sentar ao seu lado, diante da avó. Ele não se conteve e sorriu um pouco em resposta.

"Como foi a aula hoje, jovenzinho?", sua avó perguntou.

"Normal", ele respondeu.

Não tinha sido normal.

Lily ainda estava soltando fumaça pelo nariz, Harry tinha escondido uma caneta marca-texto sem tampa no fundo da sua mochila, e a sra. Kwan o puxou para um canto para perguntar, com um olhar profundo, Como Ele Estava Lidando Com a Situação.

"Sabe", disse sua avó, pousando a xícara no pires, "tem uma escola só para garotos maravilhosa bem perto da minha casa. Andei me informando e parece que a grade curricular é ótima. Uma educação muito superior à que ele deve receber na escola em que está, tenho certeza."

Conor a encarou. Este era outro motivo pelo qual não gostava das visitas da avó. O que ela tinha acabado de dizer podia ser apenas um típico comentário esnobe sobre sua escola.

Ou poderia ser outra coisa. Uma insinuação sobre um possível futuro.

Um possível *depois*.

Conor sentiu a raiva crescendo na boca do estômago...

"Ele está contente com a escola, *mã*", sua mãe falou rapidamente, dirigindo-lhe mais um de seus olhares. "Não está, Conor?"

Conor rangeu os dentes e respondeu "É, tá tudo legal lá".

Para o jantar pediram comida chinesa. A avó de Conor "não era muito de cozinhar". E era verdade. Toda vez que ele havia ficado na casa dela, a geladeira tinha pouco mais que um ovo e meio abacate. Sua mãe estava muito cansada para preparar algo e, mesmo que Conor pudesse cuidar disso, sua avó nem cogitou essa possibilidade.

Acabou ficando responsável pela limpeza. Estava despejando as embalagens de alumínio no saco de lixo onde tinha escondido, bem no fundo, as frutinhas venenosas, quando sua avó parou atrás dele.

"Precisamos ter uma conversa, garoto", ela disse, se colocando em frente à porta e bloqueando a saída.

"Eu tenho nome, sabia?", falou Conor, sem parar de empurrar o lixo. "E não é *garoto*."

"Não banque o espertinho", ela respondeu. Continuou parada, de braços cruzados. Ele a encarou por um minuto. Ela o encarou de volta e estalou a língua. "Não sou sua inimiga, Conor", disse. "Estou aqui para ajudar sua mãe."

"Eu sei por que você está aqui", ele rebateu, pegando um pano para limpar uma bancada que já estava brilhando.

A avó se aproximou e arrancou o pano da sua mão. "Eu estou aqui porque garotos de 13 anos não deveriam sair limpando coisas sem que alguém peça."

Ele virou, o rosto em brasas: "Por acaso *você* ia limpar?".

"Conor..."

"Vai embora", disse. "A gente não precisa de você."

"Conor", ela repetiu, com mais firmeza, "precisamos falar sobre o que vai acontecer."

"Não precisamos, não. Ela *sempre* fica mal depois dos tratamentos. Amanhã já vai estar melhor." Ele a encarou. "E daí você pode voltar pra *sua* casa."

Sua avó olhou para o teto e suspirou. Depois esfregou o rosto com as mãos. Ele ficou surpreso ao perceber que ela estava brava, *muito* brava.

Mas talvez não com ele.

Pegou outro pano e continuou a limpeza, só para não ter que encará-la. Esfregou tudo, chegou até a pia e, por acaso, olhou pela janela.

O monstro estava parado no quintal, tão grande quanto o sol poente.

Observando-o.

"Ela vai *parecer* melhor amanhã", sua avó continuou, com a voz mais rouca. "Mas não vai estar melhor, Conor."

Bom, isso só podia estar errado. Virou de novo. "O tratamento está fazendo ela melhorar", disse. "Porque é assim que acontece."

Sua avó olhou para ele por um tempo, como se tentasse tomar uma decisão. "Você precisa conversar com ela sobre isso, Conor", desabafou, por fim, e então acrescentou, como se falasse para si mesma: "Ela precisa conversar com *você* sobre isso".

"Falar comigo sobre o quê?", perguntou Conor.

A avó cruzou os braços. "Sobre você ir morar comigo."

Conor franziu o cenho e, por um segundo, pareceu que a cozinha tinha ficado mais escura. Por um segundo, pareceu que a casa toda estava sacudindo. Por um segundo, pareceu que ele seria capaz de abaixar e rasgar todo o chão, desprendendo-o da terra escura e argilosa...

Ele pestanejou. Sua avó estava aguardando uma resposta.

"Não vou morar com você", disse.

"Conor..."

"*Nunca* vou morar com você."

"Vai, sim", ela falou, fulminante. "Sinto muito, mas vai. Eu sei que ela está tentando proteger você, mas acho que é extremamente importante você saber que, quando tudo isso acabar, você ainda terá um lar, garoto. Com alguém que vai te amar e se importar com você."

"Quando tudo isso acabar", explodiu Conor, furioso, "você vai embora e a gente vai ficar bem."

"Conor..."

E então os dois escutaram lá da sala: "Mãe? *Mãe?*".

Sua avó saiu tão apressada da cozinha que Conor deu um salto para trás, assustado. Conseguia escutar sua mãe tossindo e sua avó dizendo "Tá tudo bem, querida, tá tudo bem, shh, shh, shh". Olhou outra vez pela janela da cozinha ao ir em direção à sala.

O monstro tinha desaparecido.

Sua avó estava no sofá, amparando sua mãe, esfregando as costas dela enquanto ela vomitava em um pequeno balde que deixavam ali por precaução.

Olhou para Conor, mas seu rosto se revelou rígido e completamente impenetrável.

AS HISTÓRIAS SELVAGENS

A casa estava às escuras. A avó tinha colocado a mãe de Conor na cama, e depois entrou no quarto do neto e fechou a porta, sem ao menos perguntar se ele queria algo antes de ela ir dormir.

Conor ficou deitado, desperto, no sofá. Não achou que ia conseguir dormir, não depois do que sua avó tinha dito, não depois de ver como sua mãe tinha ficado naquela noite. Haviam se passado três dias desde o tratamento, ela geralmente começava a se sentir melhor depois desse tempo. Porém, continuava exausta e vomitando, muito além do que deveria...

Afastava os pensamentos, mas logo eles retornavam e ele precisava mandá-los embora de novo. Acabou caindo no sono, mas só teve certeza de que estava realmente dormindo quando o pesadelo começou.

Não o sonho da árvore. O *pesadelo*.

Aquele do vento rugindo e do chão tremendo e das mãos que acabavam escorregando, mesmo que Conor usasse toda sua força para não deixá-las escapar. Aquele da queda, dos *gritos*...

"NÃO!", gritou. O terror o perseguia mesmo acordado, pressionando o peito dele com tanta força que parecia impossível respirar, sua garganta fechando, seus olhos enchendo d'água.

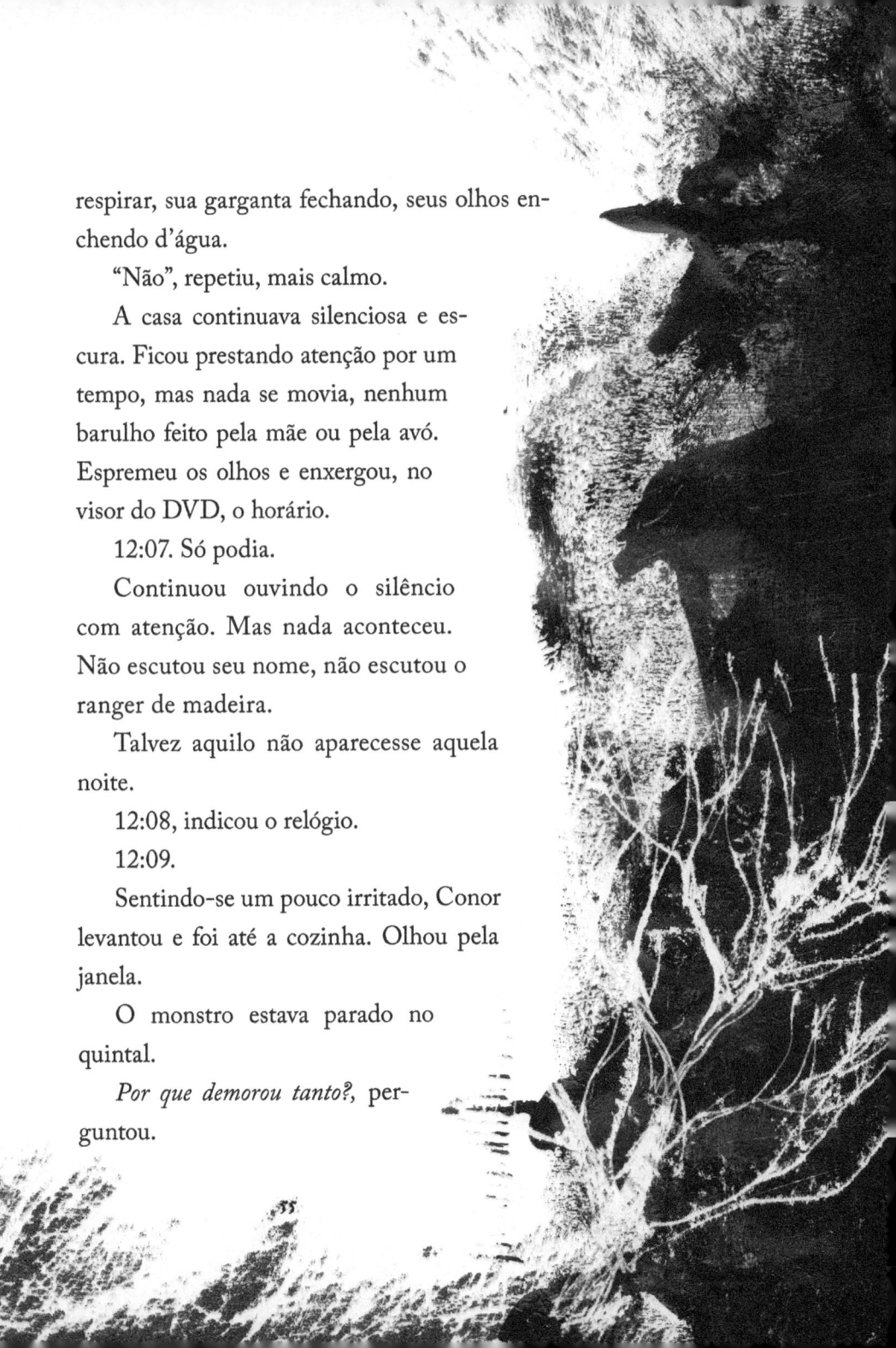

"Não", repetiu, mais calmo.

A casa continuava silenciosa e escura. Ficou prestando atenção por um tempo, mas nada se movia, nenhum barulho feito pela mãe ou pela avó. Espremeu os olhos e enxergou, no visor do DVD, o horário.

12:07. Só podia.

Continuou ouvindo o silêncio com atenção. Mas nada aconteceu. Não escutou seu nome, não escutou o ranger de madeira.

Talvez aquilo não aparecesse aquela noite.

12:08, indicou o relógio.

12:09.

Sentindo-se um pouco irritado, Conor levantou e foi até a cozinha. Olhou pela janela.

O monstro estava parado no quintal.

Por que demorou tanto?, perguntou.

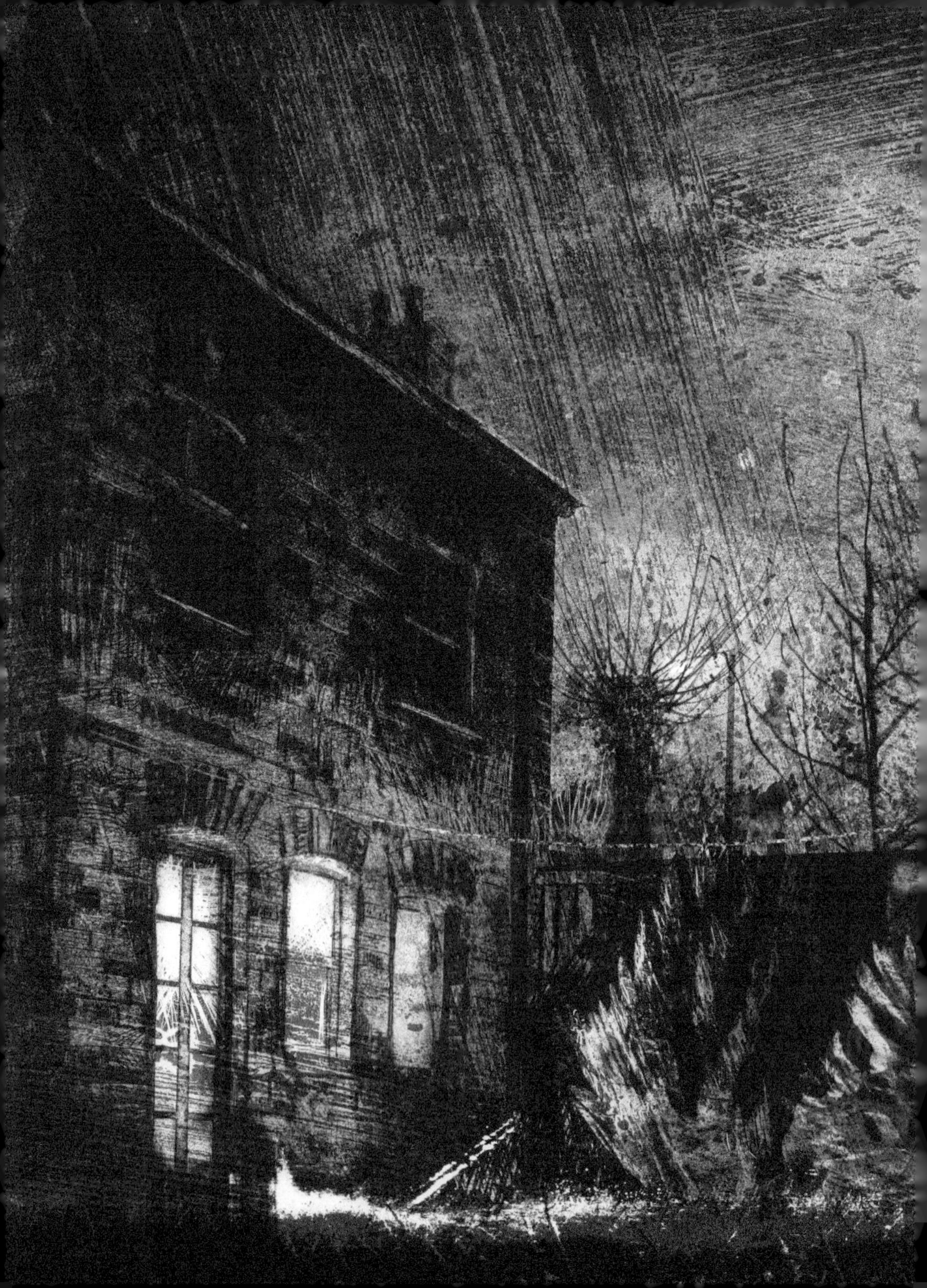

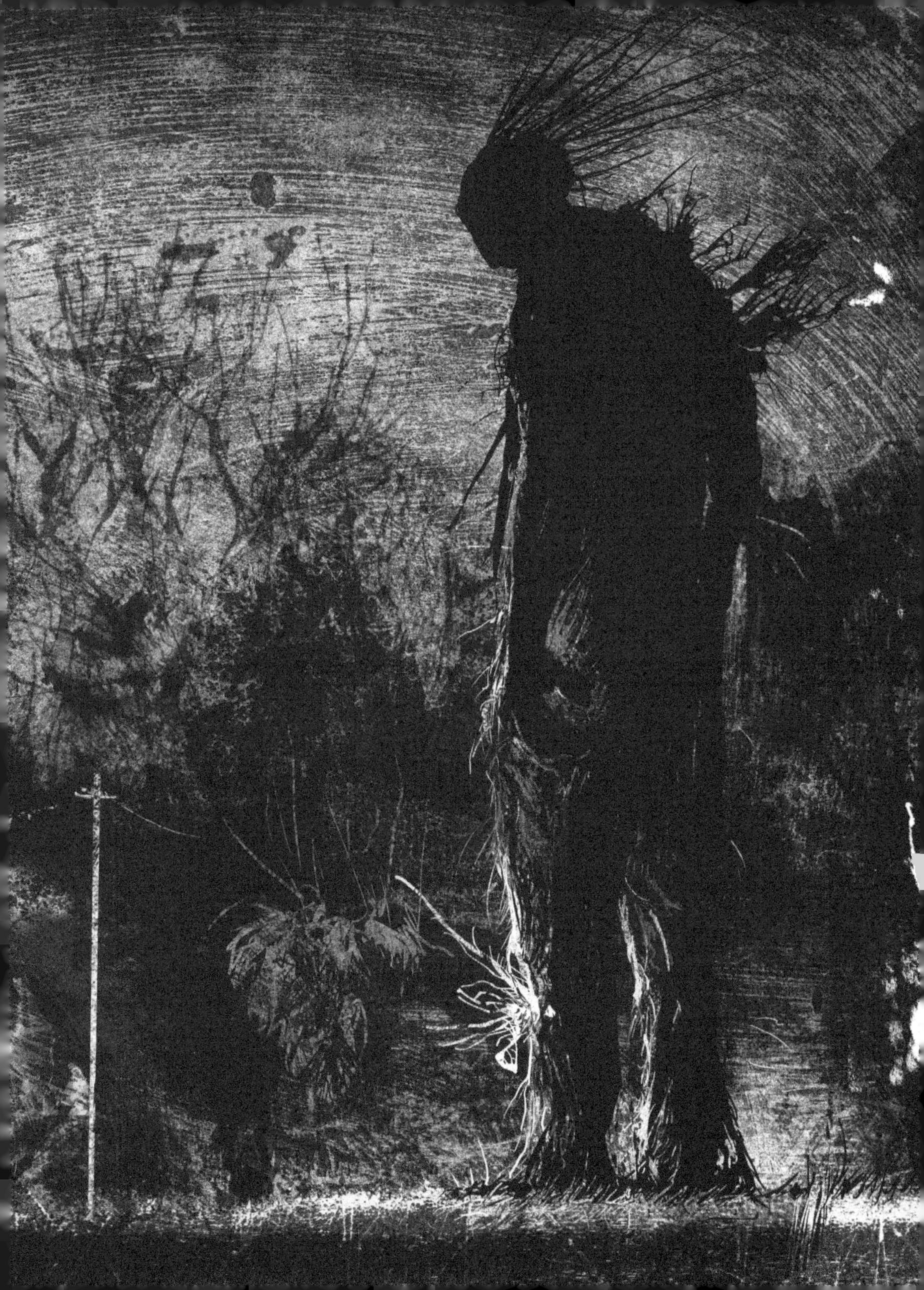

——— • ———

Chegou a hora de contar a primeira história, anunciou o monstro.

Conor não se mexeu na cadeira do jardim. Tinha colocado as pernas para cima e as abraçado, próximas ao peito, pressionando o rosto contra os joelhos.

Está ouvindo?, perguntou o monstro.

"Não."

Sentiu, de novo, o vento soprar com violência ao seu redor. *Devo ser escutado!*, bradou o monstro. *Vivo há tanto tempo quanto esta terra. Você me demonstrará o devido respeito...*

Conor levantou da cadeira e caminhou na direção da porta da cozinha.

Aonde você pensa que vai?, perguntou o monstro.

Conor se virou bruscamente para ele. Seu rosto exibia tanta fúria, tanto sofrimento que o monstro se endireitou e chegou a arquear suas enormes e abundantes sobrancelhas, surpreso.

"O que *você* pensa que sabe?", Conor disparou. "O que você sabe sobre *qualquer* coisa?"

*Eu sei de **você**, Conor O'Malley*, o monstro respondeu.

"Não, não sabe", Conor disse. "Senão, entenderia que não tenho tempo pra escutar histórias chatas e idiotas de uma árvore chata e idiota que nem é real..."

Ah é?, questionou o monstro. *As frutas no chão do seu quarto eram um sonho?*

"Quem se importa se não eram?!", Conor berrou. "São só frutinhas idiotas. Uuhh, *que assustador*! Por favor, por favor, alguém me salva das *frutinhas vermelhas*!"

O monstro o observava intrigado. *Que estranho*, falou. *Suas palavras me dizem que você tem medo das frutas, mas seus atos sugerem o oposto.*

"Você é tão velho quanto a terra e nunca ouviu falar de sarcasmo?", perguntou Conor.

Ah, sim, ouvi falar, o monstro respondeu, colocando seus enormes braços de galhos na cintura. *Mas as pessoas geralmente não ousam falar assim comigo.*

"Dá pra *não encher o saco?*"

O monstro sacudiu a cabeça, mas não em resposta à pergunta de Conor. *É um tanto incomum. Nada do que faço parece assustá-lo.*

"Você é só uma árvore", falou o garoto. E ele não conseguia mesmo pensar de outra forma. Apesar de caminhar e falar, apesar de ser maior que a casa dele e capaz de engoli-lo com uma só mordida, o monstro ainda era, no final das contas, apenas um teixo. Conor até podia enxergar algumas frutinhas crescendo na curva que os galhos faziam nos cotovelos dele.

E você tem coisas piores para temer, afirmou o monstro.

Conor olhou para o chão, depois para a lua, para todos os lugares que não fossem os olhos do monstro. A sensação que vinha com o pesadelo aumentava, transformando tudo em escuridão, fazendo tudo se tornar pesado e impossível, como se pedissem que ele levantasse montanhas com as próprias mãos e não permitissem que saísse antes de conseguir.

"Achei que", começou a dizer, mas precisou tossir antes de continuar. "Eu vi que você estava me olhando, quando eu briguei com a minha avó, e achei que..."

O que você achou?, perguntou o monstro, quando notou que o garoto não terminaria a frase.

"Deixa pra lá", respondeu, voltando-se em direção à casa.

Você pensou que eu estava aqui para ajudá-lo, o monstro falou.

Conor parou.

Você pensou que eu poderia ter vindo para derrubar seus inimigos. Matar seus dragões.

Conor não olhou para trás, mas também não entrou na casa.

Você sentiu que era real quando eu disse que você tinha me chamado, que foi por isso que vim. Não sentiu?

Conor se virou.

"Mas tudo o que você quer é me contar *histórias*", disse, sem conseguir esconder a decepção em sua voz, pois essa era a *verdade*. Sim, ele tinha pensado isso. Tinha *desejado* isso.

O monstro se ajoelhou para aproximar seu rosto do de Conor. *São histórias que contam como derrubei inimigos*, disse. *Histórias que contam como matei dragões.*

O garoto piscou diante do olhar fixo que o monstro lhe lançava.

Histórias são criaturas selvagens, continuou o monstro. *Quando você as liberta, como saber a devastação que elas podem causar?*

O monstro olhou para cima e o menino acompanhou seu olhar. Ele fitava a janela do quarto de Conor, onde a avó dele estava dormindo.

Deixe-me contar uma história de quando saí caminhando, começou o monstro. *Deixe-me contar sobre o fim que teve uma rainha má e de como fiz para ter certeza de que ela nunca mais seria vista.*

O garoto engoliu em seco e encarou o rosto do monstro.

"Continua", pediu.

A PRIMEIRA HISTÓRIA

Muito tempo atrás, narrou o monstro, *antes de existir uma cidade com ruas, trens e carros, isto aqui era um lugar cheio de áreas verdes. As árvores cobriam cada morro e cercavam cada trilha. Lançavam sombra em cada riacho e protegiam cada casa, pois havia casas até mesmo naquela época, feitas de pedra e terra.*

Isto era um reino.

("O quê?", perguntou Conor, olhando em volta. "Aqui?")

(O monstro se aprumou, curioso. *Você não sabia?*)

("De um reino aqui? Não", disse o garoto. "Nem McDonald's a gente tem.")

Mesmo assim, prosseguiu o monstro, *aqui era um reino, pequeno, mas alegre, pois o rei era apenas um rei, um homem que desenvolveu sua sabedoria aprendendo com as dificuldades da vida. Sua esposa dera à luz quatro filhos fortes, mas, para preservar a paz, o rei precisou entrar em batalhas. Batalhas contra gigantes e dragões, batalhas contra lobos negros de olhos vermelhos, batalhas contra exércitos de homens liderados por grandes magos.*

Essas lutas protegeram as fronteiras e trouxeram paz àquela terra. Mas a vitória teve seu preço. Um a um, cada filho do rei foi morto.

Pelo fogo de um dragão ou pelas mãos de um gigante ou pelos dentes de um lobo ou pela lança de um homem. Um a um, todos os quatro príncipes do reino caíram, deixando apenas um herdeiro ao trono. O neto do rei, ainda uma criança.

("Isso tá com muito jeito de conto de fadas", comentou Conor, desconfiado.)

(*Você não diria isso se tivesse escutado os gritos de um homem atravessado por uma lança*, falou o monstro. *Ou os urros apavorados de um homem enquanto era estraçalhado por lobos. Então, fique quieto.*)

Pouco a pouco, a esposa do rei sucumbiu ao luto, assim como a mãe do jovem príncipe. O rei ficou sozinho, tendo a criança como única companhia, e carregando mais tristeza do que qualquer homem seria capaz de suportar.

"Preciso casar outra vez", ele decidiu. "Pelo bem do meu príncipe e do meu reino, e pelo meu também."

E ele de fato se casou de novo, com uma princesa de um reino vizinho, uma útil união que fortaleceria os dois reinos. Ela era jovem e bela, e apesar de ter o rosto um pouco duro e a língua um pouco afiada, parecia fazer o rei feliz.

O tempo passou. O jovem príncipe cresceu até se tornar quase um homem, estando a dois anos do seu décimo oitavo aniversário, idade necessária para assumir o trono após a morte do rei. Foi um tempo feliz no reino. As batalhas haviam terminado e o futuro parecia seguro nas mãos do corajoso e jovem príncipe.

Um dia, entretanto, o rei ficou doente. Espalhou-se o boato de que ele tinha sido envenenado por sua nova esposa. As bocas também con-

tavam que ela evocava poderosos feitiços para aparentar mais juventude do que de fato tinha e que, por trás de seu viçoso rosto, espreitava a carranca de uma bruxa velha. Todos acreditavam que tinha sido ela quem envenenara o rei, mas ele implorou, até o último suspiro, para que não a culpassem por nada.

E então ele faleceu, um ano antes de seu neto ter idade suficiente para sucedê-lo. A rainha, sua avó postiça, tornou-se a regente, e lidaria com todos os assuntos do estado até que o príncipe pudesse assumi-los.

No início, para a surpresa de muitos, ela fez um bom reinado. Seu semblante – apesar dos boatos – ainda era jovem e amável, e ela se empenhou em governar o reino da mesma maneira que o antigo rei.

O príncipe, enquanto isso, tinha se apaixonado.

("Eu *sabia*", resmungou Conor. "Nesse tipo de história sempre tem príncipes idiotas se apaixonando." Começou a caminhar de volta para dentro de casa. "Pensei que a história fosse *boa*.")

(O monstro fez um leve movimento com suas mãos enormes, agarrou Conor pelos tornozelos e segurou-o de ponta-cabeça no ar, fazendo a camiseta do garoto subir e as batidas de seu coração golpearem nas têmporas.)

(*Como eu estava dizendo...*)

O príncipe tinha se apaixonado. Ela era apenas a filha de um lavrador, mas era linda, e também esperta como precisam ser as filhas de lavradores, pois lidar com a terra não é serviço simples. O reino sorria com a união.

A rainha, não. Ela tinha apreciado o período que governara o reino e não lhe agradava a ideia de entregar o trono. Come-

çou a pensar que seria melhor se a coroa permanecesse na família, se o reino fosse comandado por aqueles que eram sábios o bastante para isso, e qual solução mais apropriada do que o príncipe se casar com **ela**?

("Que nojo!", exclamou Conor, ainda de cabeça para baixo. "Ela era a avó dele!")

(*Avó **postiça**, corrigiu o monstro. Sem relações sanguíneas, e, para os devidos efeitos e aparências, uma moça jovem.*)

(Conor balançou a cabeça, o cabelo sacudindo no ar. "Isso tá errado." Ele parou de falar por um instante. "Dá pra me colocar no chão?")

(O monstro assim o fez e continuou a história.)

O príncipe também achou errado casar com a rainha. Disse que preferia morrer a aceitar uma coisa daquelas. Jurou fugir com a filha do lavrador e voltar no dia do seu aniversário de dezoito anos para libertar o povo daquela tirania. E então, certa noite, eles cavalgaram para longe, parando apenas na alvorada para dormir sob a sombra de um teixo gigantesco.

("Você?", perguntou Conor)

(*Eu. Mas também apenas parte de mim. Posso assumir qualquer forma ou tamanho, mas a de teixo é a mais confortável.*)

O príncipe e a filha do lavrador se enlaçaram ao nascer do sol. Tinham prometido ser castos até se casarem no reino seguinte, mas a paixão foi mais forte do que o juramento, e não demorou até que ambos adormecessem abraçados e nus.

Dormiram o dia todo na sombra de meus galhos e a noite caiu outra vez. O príncipe despertou. "Levante-se, minha amada", ele sussurrou à filha do lavrador, "para cavalgarmos até o dia em que nos tornaremos marido e mulher."

Sua amada, entretanto, não acordou. O jovem a sacudiu, e só quando ela se curvou para trás, sob a luz do luar, que ele percebeu o sangue que tingia o solo.

("Sangue?", interrompeu Conor, mas o monstro continuou narrando.)

O príncipe também tinha sangue nas mãos, e viu uma faca ensanguentada na relva, junto às raízes da árvore. Alguém tinha assassinado sua amada e feito de maneira a parecer que ele havia cometido o crime.

"A rainha!", ganiu o príncipe. "A rainha é responsável por esta traição!"

Ele podia escutar camponeses se aproximando. Se o encontrassem, veriam a faca e o sangue e o chamariam de assassino. Seria morto por seu crime.

("E a rainha poderia governar numa boa", Conor completou, indignado. "Espero que a história termine com você arrancando a cabeça dela.")

O príncipe não tinha para onde escapar. O cavalo dele fora afugentado enquanto ele dormia. O teixo era seu único abrigo.

E também o único lugar onde ele encontraria ajuda.

O mundo era jovem naquela época. As fronteiras entre as coisas, mais tênues e fáceis de ser atravessadas. O príncipe sabia disso. Por esse motivo, ergueu o rosto em direção ao teixo e falou.

(O monstro parou.)

("O que foi que ele falou?", perguntou Conor.)

(*O suficiente para que eu me movesse*, o monstro disse. *Reconheço injustiças quando as vejo.*)

O príncipe correu em direção aos camponeses que se aproximavam. "A rainha assassinou minha noiva!", gritou. "Precisamos pegar a rainha!"

Os boatos sobre a feitiçaria da rainha já haviam se espalhado tanto, e o príncipe era tão querido pelo povo, que demorou pouco para que se convencessem da óbvia verdade. Demorou menos ainda quando viram o grande Homem Verde, tão alto quanto os morros, caminhando atrás do príncipe, buscando vingança.

(Conor olhou de novo para os enormes braços e pernas do monstro, para sua boca rasgada e cheia de dentes, para sua inacreditável *monstruosidade*. Imaginou o que a rainha deve ter pensado quando viu aquela criatura se aproximando.)

(Sorriu.)

O povo atacou o castelo com tanta fúria que as pedras de suas resistentes muralhas foram derrubadas. As fortalezas caíram, o teto despencou e quando encontraram a rainha em seus aposentos, as pessoas a agarraram e a arrastaram até a fogueira para queimá-la viva.

("É isso aí", disse Conor, sorrindo. "Ela merecia." Olhou para a janela do seu quarto, onde a avó dormia. "Você poderia me dar uma ajudinha com ela?", perguntou. "Claro que eu não quero queimar ela viva ou coisa parecida mas...")

A história, falou o monstro, *ainda não acabou.*

O FINAL DA PRIMEIRA HISTÓRIA

"Não?", perguntou Conor. "Mas a rainha foi derrubada."

Foi mesmo, respondeu o monstro. *Mas não por mim.*

O garoto hesitou, confuso. "Você falou que garantiria que ela nunca mais seria vista."

E fiz isso. Quando os camponeses acenderam a fogueira para queimá-la viva, eu a salvei.

"Você *o quê*?"

Levei-a para um lugar muito distante, onde aquele povo nunca a encontraria, para muito além, até, do reino onde ela havia nascido, para um vilarejo próximo ao mar. E lá a deixei, para que vivesse em paz.

Conor se levantou, a voz descrente, cada vez mais alta: "Mas ela assassinou a filha do lavrador! Como é que você pôde salvar uma assassina?". Seus olhos entristeceram e ele deu um passo para trás. "Você é *mesmo* um monstro."

Eu nunca disse que ela matou a filha do lavrador, prosseguiu o monstro. *Apenas contei que o **príncipe** falou isso.*

Conor cruzou os braços e piscou, desconfiado. "Quem matou ela, então?"

O monstro abriu suas enormes mãos e por elas adensou-se uma brisa, trazendo consigo a neblina. A casa de Conor ainda estava atrás dele, mas a névoa cobriu o quintal, substituindo-o por um campo onde havia um enorme teixo, sob o qual dormiam um homem e uma mulher.

Depois que os dois consumaram seu amor, disse o monstro, *o príncipe continuou acordado.*

Conor viu o príncipe se levantar e olhar a filha do lavrador dormindo, viu como ela era mesmo bonita. O príncipe a observou por um momento, depois se enrolou em um cobertor e foi em direção ao seu cavalo, amarrado a um dos galhos do teixo. Retirou um objeto do alforje, soltou o cavalo e lhe deu um tapa forte, para que o animal saísse em disparada. Em seguida, ergueu o objeto que tinha retirado da pequena bolsa.

Uma faca, que brilhava à luz da lua.

"Não!", gritou Conor.

O monstro fechou as mãos e a névoa diminuiu, fazendo desaparecer a imagem do príncipe, que se aproximava da filha do lavrador, com a faca em punho.

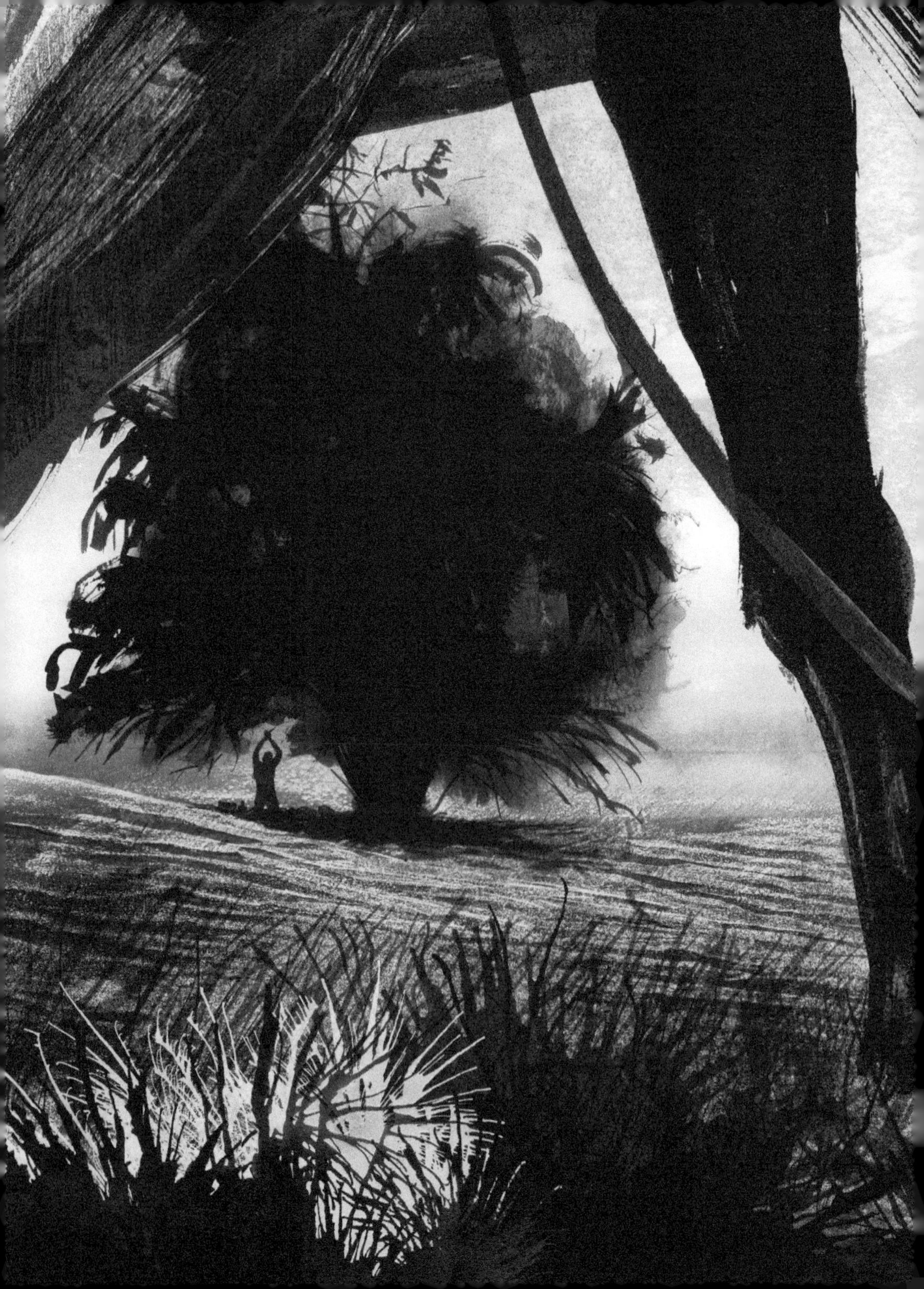

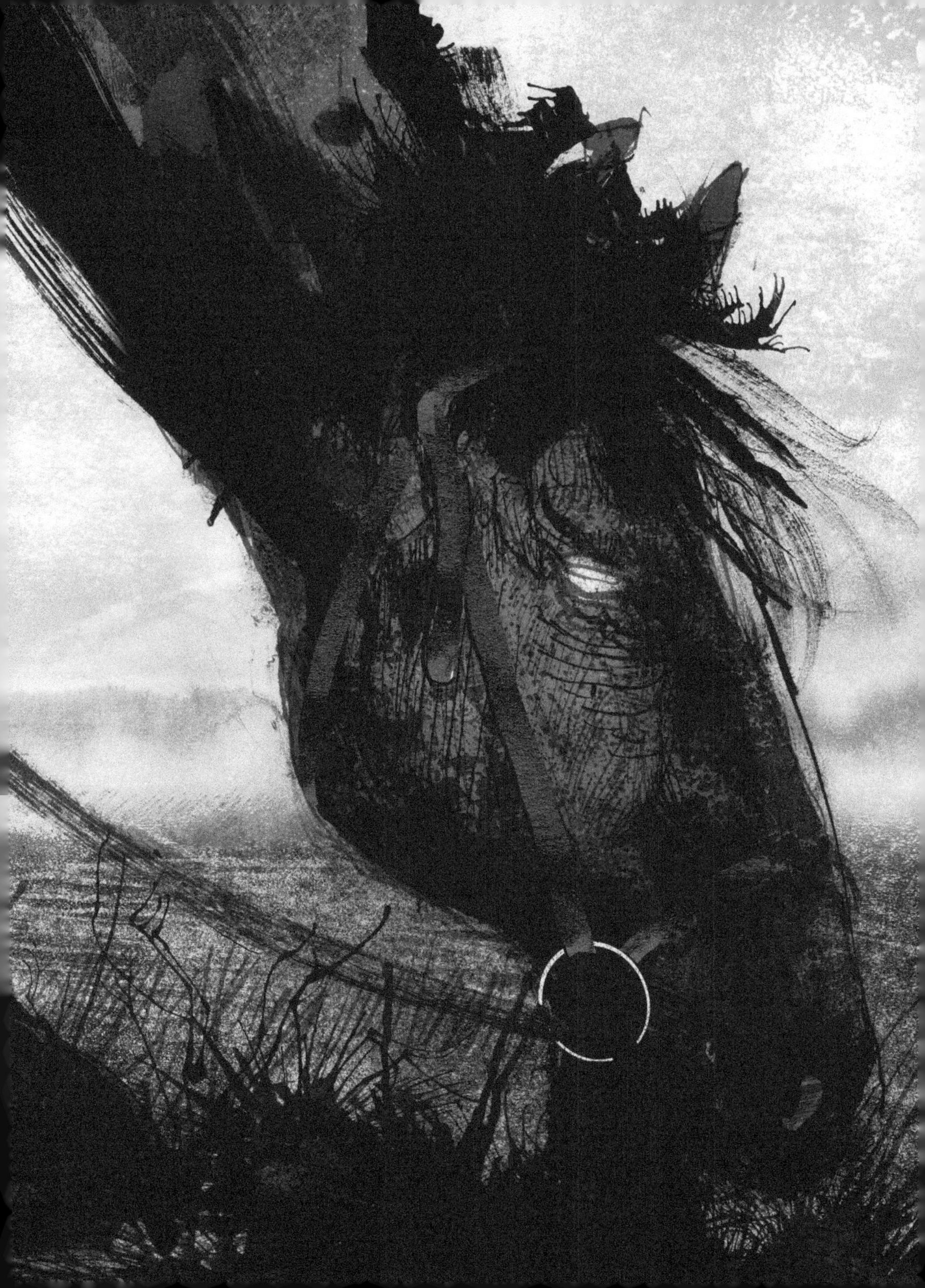

"Você disse que ele ficou surpreso quando ela não acordou!", Conor disparou.

Após matar a filha do lavrador, continuou o monstro, *o príncipe se deitou ao lado dela e voltou a dormir. Quando acordou, fez todo aquele teatro para o caso de alguém estar observando. Fez também, e isso pode deixar você surpreso, para si mesmo.* Os galhos do monstro rangeram. *Às vezes as pessoas precisam mentir para elas mesmas, mais do que para qualquer outro.*

"Você disse que ele pediu sua ajuda! E que você o *ajudou!*"

Eu apenas falei que ele fez com que eu me movesse.

Conor parou de encarar o monstro e olhou para seu quintal, que começava a ressurgir na névoa. "O que foi que ele disse?", perguntou.

Ele me contou que havia feito aquilo pelo bem do reino. Que a nova rainha era, de fato, uma bruxa, que seu avô suspeitava disso quando casou com ela, mas preferiu ignorar o fato devido à sua beleza. O príncipe não seria capaz de lutar, sozinho, contra uma bruxa poderosa. Precisava da ira do povo para ajudá-lo. A morte da filha do lavrador resolveria isso. Ele se sentia mal por precisar fazer aquilo, lhe partia o coração, mas, assim como seu pai morrera para defender o reino, a linda jovem também precisaria ser sacrificada. Sua morte seria em nome da destruição de um grande mal. Ao falar que a rainha tinha assassinado sua noiva, ele acreditava, de certa forma, que aquilo era verdade.

"Que lixo!", Conor gritou. "Ele não precisava matá-la. O povo já o apoiava. Eles ficariam do lado dele de qualquer maneira."

As justificativas dos homens que matam são sempre recebidas com ceticismo, comentou o monstro. *A injustiça que presenciei, que fez com que eu me movesse, foi a que a rainha sofreu, não o príncipe.*

"Ele foi pego?", perguntou Conor, perplexo. "Eles puniram o príncipe?"

Ele se tornou um rei muito querido, o monstro respondeu, *que governou com alegria até o fim de seus dias.*

O garoto olhou para a janela de seu quarto, franzindo o rosto outra vez. "Quer dizer que no final o príncipe bonzinho era um assassino e a rainha má não era uma bruxa. Qual é a moral da história? Que eu preciso ser *legal* com ela?"

Escutou um ronco estranho, diferente dos anteriores, e demorou um tempo para perceber que o monstro estava *rindo*.

*Acha que eu estou contando histórias para lhe dar **lições**?,* o monstro perguntou. *Acha que eu me desprendi do tempo e da terra para lhe dar **aulas de bons modos**?*

O monstro riu cada vez mais alto, até o chão sacudir e o céu parecer desabar.

"Tá, deixa pra lá", Conor desconversou, envergonhado.

Não, não, continuou o monstro, se acalmando. *A rainha com certeza **era** uma bruxa e poderia muito bem estar tramando algo malévolo. Quem há de saber? Ela não queria abandonar o poder, afinal de contas.*

"Por que você a salvou, então?"

*Porque uma assassina, isso ela **não era**.*

Conor andou pelo quintal, pensativo. E andou um pouco mais. "Não estou entendendo. Quem é o bonzinho da história?"

Nem sempre há um bonzinho. Nem sempre há um vilão. A maior parte das pessoas fica entre um e outro.

O garoto sacudiu a cabeça. "Essa história é uma droga. E uma enganação."

*É uma história **verdadeira**,* argumentou o monstro. *Muitas coisas verdadeiras parecem enganação. Reinos ganham o príncipe que merecem, filhas de lavradores morrem sem motivo, e, às vezes, uma bruxa merece ser salva. Não é tão incomum, por sinal. Você ficaria surpreso.*

Conor fitou novamente a janela do quarto, e visualizou a avó dormindo em sua cama. "E aí, como isso pode me salvar dela?"

O monstro ficou completamente de pé, olhando para Conor lá do alto.

*Não é **dela** que você precisa ser salvo,* disse.

Conor se endireitou no sofá, a respiração pesada.

12:07, marcava o relógio.

"Droga!", reclamou Conor. "Tô sonhando ou não?"

Ficou de pé, irritado.

E, no mesmo instante, sentiu algo cutucando seu dedão.

"O que foi *agora*?", resmungou, se inclinando para acender a luz.

Nascia, de uma falha no piso, uma nova e firme muda de árvore que media quase meio metro.

O garoto a observou por um tempo. Depois, foi até a cozinha buscar uma faca para cortá-la.

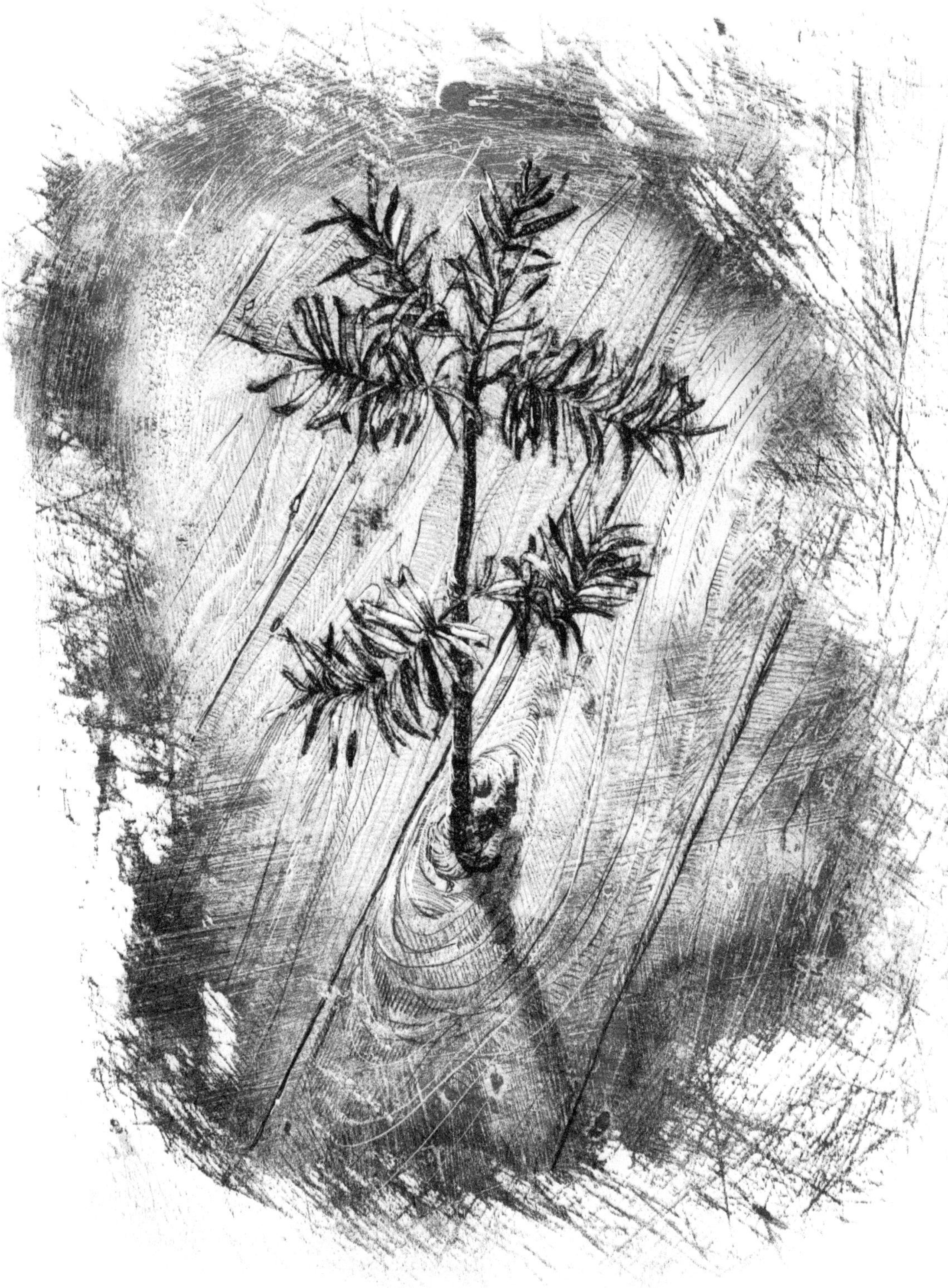

COMPREENSÃO

"Eu perdoo você", disse Lily, no dia seguinte, alcançando Conor no caminho para a escola.

"Pelo quê?", ele perguntou, sem encará-la. Ainda estava irritado com a história que o monstro contara, com os rumos enganosos e confusos que ela tinha tomado, e que não ajudaram em nada. Teve que passar meia hora cortando aquela muda que brotou inexplicavelmente no chão e por isso sentiu que nem dormira e já era hora de levantar, algo que descobriu apenas porque sua avó começou a gritar dizendo que ele estava atrasado. Nem permitiu que desse tchau para sua mãe, que, segundo ela, havia tido uma noite difícil e precisava descansar. O que o encheu de culpa, pois, se a sua mãe tivera uma noite difícil, *ele* deveria ter estado lá para ajudar, não sua avó, que mal o deixou escovar os dentes antes de empurrar uma maçã em suas mãos e o expulsar de casa.

"Por ter me metido numa encrenca, mané", retrucou Lily, mas sem muita rispidez.

"Quem se meteu em encrenca foi você", falou Conor. "Você que empurrou o Sully."

"Eu te perdoo por você *mentir*", disse Lily, seus cachos de poodle domados por uma tiara.

Conor continuou andando.

"E você, não vai me pedir desculpas?", ela perguntou.

"Não", respondeu Conor.

"Por que não?"

"Porque eu acho que não tenho que pedir."

"Conor..."

"Não tenho do que me desculpar", disse Conor, parando de andar. "E *eu* não perdoo *você*."

Eles se encararam ofuscados pelo sol da manhã. Nenhum deles querendo ser o primeiro a desviar o olhar.

"Minha mãe disse que a gente precisa ser mais tolerante com você", Lily acabou falando. "Por causa de tudo o que você tem passado."

E, por um instante, pareceu que o sol tinha se escondido atrás das nuvens. Por um instante, tudo o que Conor viu foram tempestades se aproximando, conseguiu *senti-las* prestes a explodir no céu e retumbar no seu corpo inteiro. Por um instante, sentiu ser capaz de segurar um pouco daquele ar violento e fazê-lo rodopiar ao redor de Lily, rasgando-a em duas...

"Conor?", Lily o chamou, preocupada.

"Sua mãe não sabe de *nada*", o garoto retrucou. "E você também não."

Afastou-se depressa, deixando-a para trás.

Tinha se passado pouco mais de um ano desde que Lily contara a algumas de suas amigas sobre a mãe de Conor, apesar de ele não ter dito que ela podia fazer isso. Aquelas amigas contaram para outras pessoas que, por sua vez, contaram para outras pessoas, e antes do dia chegar na metade era como se um círculo tivesse se aberto ao redor de Conor, uma zona devastada com ele no meio, uma área cercada de minas terrestres que ninguém ousava atravessar. De repente, aqueles que Conor considerava seus amigos começaram a parar de conversar quando ele se aproximava; não que ele tivesse muitos amigos além de Lily, mas *mesmo assim*. Dava para escutar as pessoas sussurrando quando ele passava pelo corredor ou enquanto almoçava. Até mesmo os professores faziam uma cara diferente quando ele levantava a mão durante a aula.

Então, no fim, parou de se juntar aos grupinhos, parou de prestar atenção nos sussurros e parou até de levantar a mão.

Não que alguém tivesse percebido. Era como se de repente ele houvesse se tornado invisível.

Nunca tinha passado um ano tão difícil na escola, nem ficado tão aliviado com a chegada das férias. Sua mãe estava imersa nos tratamentos que, conforme repetira várias vezes, eram pesados mas "faziam seu trabalho", e a enorme lista de procedimentos médicos estava quase chegando ao fim. O combinado era que ela terminaria os tratamentos, um novo ano letivo iniciaria e os dois esqueceriam tudo aquilo para recomeçar a vida.

O problema foi que não aconteceu conforme o planejado.

Os tratamentos duraram muito mais do que imaginavam, primeiro numa segunda rodada, e agora, numa terceira. Com os professores novos era ainda pior porque só o conheciam por meio da história da mãe, não por quem ele era antes. E os colegas ainda o tratavam como se *ele* estivesse doente, principalmente depois que Harry e seus comparsas o escolheram como alvo.

E agora sua avó ficava perambulando pela casa e ele sonhava com árvores.

Ou talvez *não* fosse um sonho. O que, na verdade, seria ainda pior.

Continuou andando irritado até a escola. Culpava Lily porque o erro *tinha* sido, em grande parte, dela, não tinha?

Culpava Lily, porque, afinal, quem mais ele poderia culpar?

Desta vez, o soco de Harry foi direto no seu estômago.

Ele caiu no chão, arranhando o joelho no concreto, abrindo um buraco na calça do uniforme. O rasgo era o pior de tudo. Ele era ruim em costura.

"Você é um imbecil, O'Malley", disse Sully, rindo nas suas costas. "Você vive tropeçando por aí."

"É, tem que ir no médico pra ver isso", escutou Anton comentar.

"Acho que ele está bêbado", completou Sully, gerando mais gargalhadas, exceto pelo vácuo silencioso que havia entre eles, onde Conor sabia que Harry não estava rindo. Sabia, sem precisar virar, que Harry o observava, esperando para ver o que ele faria.

Quando ficou de pé, enxergou Lily perto da parede. Ela estava com outras garotas, voltando para a sala após o fim do recreio. Não estava conversando, apenas observando Conor enquanto se afastava.

"A Super Poodle não vai te ajudar hoje", disse Sully, ainda rindo.

"Sorte sua, Sully", respondeu Harry, falando pela primeira vez. Conor ainda não tinha se virado para encarar os garotos, mas sabia que Harry não estava rindo da própria piada. Observou Lily até ela desaparecer.

"Ei, *olha* pra gente quando a gente tá falando", continuou Sully, provavelmente irritado com Harry pelo comentário. Ele agarrou os ombros de Conor e o virou à força.

"Não toca nele", ordenou Harry, com a voz calma e baixa, mas num tom tão nefasto que Sully imediatamente deu um passo para trás. "O'Malley e eu temos um acordo", falou. "Sou o único que encosta nele. Não é?"

Conor esperou um pouco e depois assentiu, lentamente. Este sim parecia ser o acordo.

Harry, com o rosto pálido e os olhos fixos em Conor, parou diante dele. Conor não recuou, e lá ficaram os dois se estudando, enquanto Anton e Sully trocavam olhares nervosos.

Harry ergueu um pouco a cabeça, como se uma questão lhe ocorresse, uma dúvida que ele estivesse tentando resolver. Conor permanecia imóvel. O resto da turma já tinha voltado para a sala de aula. Pôde sentir o silêncio se espalhando ao redor, até mesmo Anton e Sully estavam quietos. Logo eles iriam embora. Eles tinham que ir *agora*.

Mas ninguém se mexeu.

Harry impulsionou a mão fechada em direção a Conor, como se fosse lhe dar um soco no rosto.

Conor não recuou. Nem sequer se mexeu. Apenas encarou Harry, esperando a pancada que o faria cair.

Mas ela não chegou.

Harry abaixou a mão, deixando o braço pender lentamente ao lado do corpo, sem deixar de olhar para Conor. "Com certeza", ele disse, por fim, como se tivesse entendido algo. "Foi o que eu pensei."

E então, mais uma vez, uma voz grave atravessou o pátio.

"Garotos!", gritou a sra. Kwan, correndo na direção deles como o terror em forma de gente. "O intervalo acabou há três minutos! O que vocês estão fazendo aqui fora?"

"Desculpa, professora", disse Harry, sua voz instantaneamente luminosa. "A gente estava conversando com o Conor sobre a redação que a sra. Marl passou, a da *Escrita da vida*, e perdemos a noção do tempo." Deu um tapinha nas costas de Conor, como se fossem amigos desde sempre. "Ninguém tem mais histórias para contar do que o Conor aqui." Ele fez uma cara séria para a sra. Kwan. "E conversar sobre essas coisas ajuda o Conor a desabafar um pouco."

"Claro", falou a inspetora, franzindo o cenho. "Isso parece

muito plausível. Todo mundo aqui recebeu uma primeira advertência. Se aprontarem mais uma hoje, suspensão."

"Sim, senhora", respondeu Harry alegremente, e Anton e Sully murmuraram as mesmas palavras. Eles se arrastaram em direção à sala de aula e Conor os seguiu, mantendo alguma distância.

"Espere um pouco, Conor", a sra. Kwan pediu.

Ele parou e voltou-se para ela, mas não levantou o rosto.

"Tem certeza que está tudo certo entre você e os outros garotos?", perguntou a sra. Kwan, colocando sua voz no tom "amável", que era só um pouco menos assustador do que aquele que ela usava para gritar a plenos pulmões.

"Sim, senhora", respondeu Conor, ainda sem olhar para ela.

"Porque eu vejo o jeito do Harry agir", confessou. "Um valentão com carisma e notas altas continua sendo um valentão." Ela suspirou, incomodada. "Ele provavelmente vai se tornar primeiro-ministro algum dia. Que Deus nos proteja."

Conor não disse nada, e o silêncio assumiu uma forma particular e conhecida, provocada pela maneira como a sra. Kwan curvava o corpo para a frente, baixava os ombros, inclinava a cabeça na direção de Conor.

Ele sabia o que estava por vir. Sabia e detestava.

"Não posso imaginar como é passar pelo que você está passando", ela falou, com a voz tão suave que parecia um sussurro, "mas se você quiser conversar sobre isso, estou aqui para você."

Ele não conseguiria encará-la, não conseguiria ver o zelo em seu olhar, não conseguiria *aguentar* ouvir a preocupação em sua voz.

(Porque ele não era digno disso.)

(O pesadelo ardeu dentro dele, os gritos e o terror, e o que acontecia no final...)

"Estou legal, professora", ele murmurou, olhando para os pés. "Tá tudo bem."

Um segundo depois escutou a sra. Kwan suspirar outra vez. "Tudo bem, então", ela disse. "Esqueça a advertência e volte para a aula." Deu um tapinha no ombro do garoto e atravessou o pátio.

E por um instante Conor ficou completamente sozinho.

Se deu conta de que talvez pudesse ficar ali fora o dia inteiro e ninguém o puniria por isso.

O que, de certo modo, o fez se sentir ainda pior.

CONVERSINHA

Quando chegou da escola, sua avó o esperava no sofá.

"Precisamos ter uma conversa", ela disparou antes mesmo de ele fechar a porta, e a expressão em seu rosto o paralisou. Uma expressão que fez seu estômago se contorcer.

"Aconteceu alguma coisa?", ele perguntou.

Ela inspirou profundamente, soltando o ar com força pelo nariz, e olhou pela janela da rua como se estivesse se concentrando. Parecia uma ave de rapina. Um falcão capaz de estraçalhar uma ovelha.

"Sua mãe precisa voltar para o hospital", ela falou. "Você vai ter que ficar na minha casa por uns dias. Precisa arrumar a mala."

Conor não se mexeu. "O que tem de errado com ela?"

Sua avó arregalou os olhos por um segundo, como se não acreditasse que ele fosse capaz de fazer uma pergunta tão estúpida. E então abrandou a voz: "Está sentindo muita dor. Mais do que deveria".

"Mas ela tem remédios pra dor...", começou Conor, no entanto sua avó bateu palmas uma só vez, mas *alto*, alto o suficiente para fazê-lo parar de falar.

"Não está dando certo, Conor", ela falou, rispidamente, e parecia que seu olhar o atravessava. "Não está funcionando."

"O que não está funcionando?"

A avó bateu palmas levemente mais algumas vezes, como se estivesse testando o som que suas mãos faziam ou coisa parecida, e então tornou a olhar pela janela, seus lábios apertados. Por fim se levantou, preocupada em alisar o próprio vestido.

"Sua mãe está lá em cima", falou. "Ela quer conversar com você."

"Mas..."

"E seu pai chega no domingo."

Ele se aprumou. "Meu *pai* tá vindo pra cá?"

"Tenho que dar uns telefonemas", disse, passando por ele em direção à porta com o celular na mão.

"Por que meu pai tá vindo?", Conor perguntou, virando para ela.

"Sua mãe está esperando", falou, fechando a porta atrás de si.

Conor continuou segurando a mochila, como se tivesse acabado de chegar da escola.

Seu pai estava vindo. Seu *pai*. Direto dos *Estados Unidos*. Seu pai, que não aparecia desde o Natal do ano retrasado. Cuja nova mulher sempre tinha alguma emergência de última hora que o impedia de visitá-los com mais frequência, ainda mais agora que o bebê tinha nascido. Conor tinha se acostumado com a ausência do pai, com as viagens que ficavam cada vez mais raras e com os telefonemas mais e mais esparsos.

Seu pai estava a caminho.

Por quê?

"Conor?", escutou a mãe chamar.

Ela não estava no quarto dela. Estava no *dele*, deitada na cama, por cima do edredom, olhando através da janela para o cemitério no alto do morro.

E na direção do teixo.

Que era apenas um teixo.

"Ei, querido", ela falou, sorrindo para ele, mas Conor sabia, pelas linhas que se contraíam ao redor dos seus olhos, que a mãe estava sentindo dor, dor como ele só tinha visto ela sentir uma vez. Quando aconteceu, ela também teve que ir para o hospital, onde ficou por quase duas semanas. Tinha sido na última Páscoa, e aquelas semanas na casa da avó foram insuportáveis para os dois.

"O que há de errado?", ele perguntou. "Por que você vai ter que voltar pro hospital?"

Ela deu uns tapinhas na cama, convidando-o para sentar ao seu lado.

Conor permaneceu onde estava. "Qual é o problema?"

A mãe ainda sorria, mas seu sorriso estava mais murcho agora, e ela passava os dedos pelo desenho do edredom, os ursos selvagens que há anos Conor achava infantis demais. Ela tinha colocado o lenço vermelho ao redor da cabeça, mas sem apertar, então ele podia ver sua careca branca e lisa. Conor suspeitava que ela nem tinha se dado ao trabalho de experimentar alguma das perucas velhas da avó.

"Vou ficar bem", ela falou. "De verdade."

"Vai mesmo?"

"Já passamos por isso, Conor", ela respondeu. "Não se preocupe. Já me senti muito mal, fui para o hospital e os médicos cuidaram de mim. É o que vai acontecer de novo." Ela deu outros tapinhas na cama. "Não vai se sentar do lado da sua mãe velha e cansada?"

Conor engoliu em seco, mas o sorriso dela estava mais luminoso e – ele tinha certeza – era um sorriso verdadeiro. Aproximou-se e sentou ao seu lado, virado para a janela. Ela passou a mão pelos cabelos dele, tirando uma mecha da frente dos seus olhos e fazendo-o perceber como o braço dela estava magro, quase só pele e osso.

"Por que o pai tá vindo pra cá?", perguntou.

Sua mãe parou, depois pousou as mãos no colo. "Faz um tempão que você não vê ele. Não ficou contente?"

"A vó não parece muito alegre."

Sua mãe bufou. "Bom, você sabe qual opinião ela tem sobre seu pai. Não liga. Curta a visita dele."

Ficaram em silêncio por um tempo. "Tem algo a mais nessa história", Conor finalmente falou. "Não tem?"

Sentiu a mãe se ajeitar no travesseiro. "Olha pra mim, filho", disse, suavemente.

Ele virou o rosto para olhá-la, embora preferisse pagar um milhão do que ter que fazer isso.

"O último tratamento não está fazendo o efeito que deveria", ela falou. "O que significa que vão ter que ajustar isso, tentar algo diferente."

"Só?", questionou Conor.

Ela assentiu. "Só. Tem um monte de coisas que eles podem fazer pra me ajudar. É assim que funciona. Não se preocupa."

"Certeza?"

"Certeza."

"Porque", Conor parou por um segundo e olhou para o chão. "Porque você pode me contar, você sabe, né?"

E então sentiu os braços dela o abraçando, aqueles braços tão, tão magros, que antes eram tão macios. Ela não disse nada, apenas aninhou-se a ele. Conor voltou a olhar pela janela, e, depois de um tempo, sua mãe virou para lá também.

"Aquilo ali é um teixo, sabia?", ela falou.

Conor revirou os olhos como se tivesse perdido a paciência, mas de forma exagerada, para mostrar que era brincadeira. "Sei, mãe, você me explicou umas cem vezes já."

"Fica de olho nele enquanto eu estiver fora, tá?", ela pediu. "Garante que ele vai continuar aqui até eu voltar?"

E Conor percebeu que aquela era sua maneira de dizer que, *sim*, que ela voltaria, então tudo que fez foi assentir, e os dois continuaram observando a árvore.

Que continuou sendo apenas uma árvore, por mais que eles a olhassem.

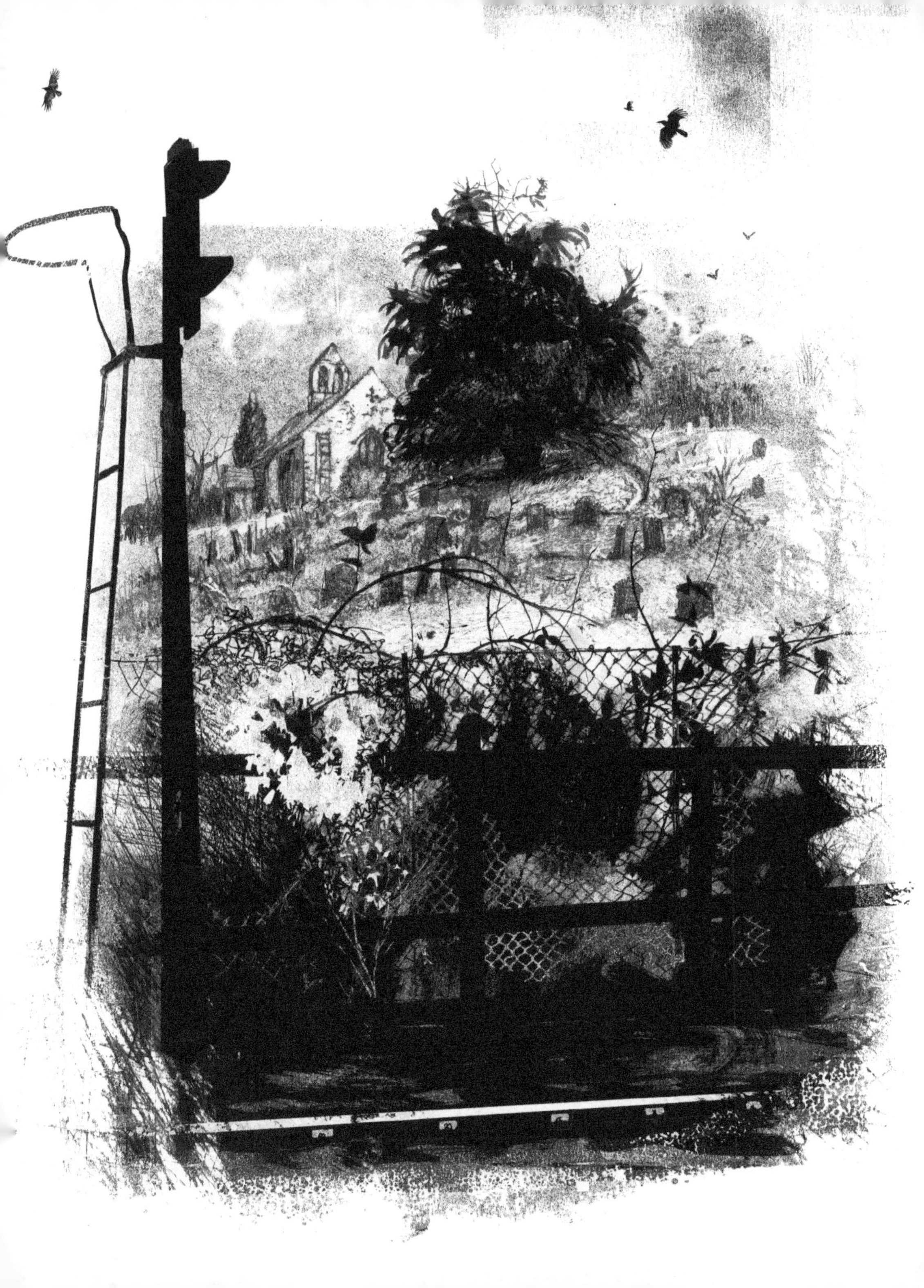

CASA DA AVÓ

Cinco dias. O monstro não apareceu por cinco dias.

Talvez não soubesse onde a avó de Conor morava. Ou talvez a casa dela fosse longe demais. O quintal não era grande coisa, apesar de a casa ser *muito* maior do que a de Conor. Sua avó tinha entulhado o quintal com uma cabana de madeira, um lago de pedras ornamental e um "escritório" pré-fabricado que ocupava os fundos, onde ela ficava trabalhando como agente imobiliária, um emprego tão chato que Conor desistia de prestar atenção depois da primeira frase que ela falava ao tentar descrevê-lo. O que sobrava do quintal era circundado por alamedas de tijolos queimados e vasos de flores. Nenhum espaço para uma árvore. Nem sequer havia *grama*.

"Não fique aí de bobeira, jovenzinho", sua avó falou, saindo pela porta dos fundos e colocando um brinco. "Seu pai deve estar chegando e eu vou visitar sua mãe."

"Eu não tava de bobeira", retrucou Conor.

"E o que você está fazendo aí, então? Venha para dentro."

Sua avó desapareceu dentro de casa e ele se arrastou atrás dela. Era domingo, e seu pai estava chegando. Ele viria buscar Conor, os dois iam visitar sua mãe e depois curtiriam alguns momentos de "pai e filho". Conor tinha quase certeza de que isso era um código para mais uma rodada de Precisamos Ter Uma Conversa.

Sua avó não estaria lá quando o pai chegasse. O que era bom para todo mundo.

"Tire sua mochila da sala, por favor", ela pediu, passando por ele e pegando a bolsa. "Não quero que seu pai pense que isto aqui é um chiqueiro."

"Acho difícil isso acontecer", Conor murmurou, enquanto sua avó conferia o batom no espelho.

A casa dela era mais limpa que o quarto de hospital da mãe. A faxineira, Marta, ia às quartas, mas Conor não entendia por quê. A primeira coisa que sua avó fazia ao acordar era passar o aspirador pela casa. Além disso, lavava a roupa quatro vezes por semana, e certa feita limpou o banheiro à meia-noite, antes de ir dormir. Ela não permitia que a louça suja sequer tocasse a pia no caminho até a lava-louças, e uma vez tirou o prato de Conor antes de ele terminar de comer.

"Uma mulher da minha idade, que mora sozinha", ela comentava, pelo menos uma vez por dia, "se eu não deixo tudo em ordem, quem vai ajeitar as coisas?"

Dizia isso em tom de desafio, para provocar Conor.

Sua avó o levava de carro até a escola, e ele chegava adiantado todos os dias, apesar de o trajeto demorar quarenta e cinco minutos. Ela também o aguardava na saída, levando-o direto até o hospital para visitar a mãe. Ficavam lá por uma hora, ou um pouco menos, caso ela estivesse cansada demais para conversar – o que tinha acontecido duas vezes nos últimos cinco dias – e então voltavam para a casa da avó, onde ela o obrigava a fazer a lição de casa enquanto pedia pelo delivery qualquer coisa que eles não tivessem comido ainda.

Parecia aquela vez, num verão, quando Conor e sua mãe ficaram em uma pensão na Cornualha. Só que aqui era mais limpo. E com mais regras.

"Preste atenção, Conor", ela falou, enquanto vestia seu blazer. Era domingo, ela não precisava mostrar casas a nenhum cliente, então Conor não entendeu por que sua avó estava se arrumando tanto apenas para ir ao hospital. Suspeitou que era só para deixar o pai dele desconfortável.

"Seu pai talvez não perceba o quanto sua mãe anda cansada, certo? Então, nós dois vamos ter que ficar de olho para que ele não torne a visita longa demais." Ela se inspecionou no espelho outra vez e baixou a voz. "Não que algum dia ele *tenha feito isso*."

Ela se virou, levantou a mão e a abriu como se fosse uma estrela-do-mar, deu um breve aceno e disse "Comporte-se".

A porta bateu com estrépito atrás dela. Conor estava sozinho.

Subiu até o quarto de hóspedes, onde dormia. Sua avó insistia em chamar o local de quarto *dele*, mas Conor continuava dizendo "quarto de hóspedes", o que a fazia balançar a cabeça e resmungar consigo mesma.

Mas o que ela esperava? O quarto não parecia *dele*. Não parecia com o quarto de *ninguém*, muito menos de um *garoto*. As paredes eram completamente brancas, tirando os três quadros com reproduções de veleiros, que deviam representar aquilo que sua avó imaginava que meninos gostavam. Os lençóis e os edredons também eram de um branco imaculado, e o único móvel exceto a cama era um armário de madeira maciça tão grande que daria para almoçar dentro dele.

Esse poderia ser qualquer quarto em qualquer casa em qualquer planeta, em qualquer lugar. Ele nem sequer gostava de *ficar* lá, nem mesmo para dar um tempo da sua avó. Só tinha subido para pegar um livro, já que ela tinha proibido games na casa. Pescou um na mochila e, ao passar pela janela, deu uma olhada no quintal dos fundos.

Apenas alamedas de tijolo e o galpão e o escritório.

Nada o observava.

A sala de estar era uma daquelas nas quais ninguém nunca estava. A avó não deixava Conor ficar ali, pois morria de medo que ele manchasse o sofá, então é lógico que aquele foi o lugar escolhido pelo garoto para ler enquanto esperava o pai.

Conor se espalhou no sofá, que tinha pernas curvas de madeira tão finas que pareciam usar salto alto. Na parede oposta havia uma cristaleira cheia de pratos e xícaras de chá com tantos arabescos que davam a impressão de que cortariam seus lábios se você tomasse chá nelas. Pendurado acima da lareira, encontrava-se o estimado relógio da avó, que ninguém além dela tinha o direito de tocar. Herdara o relógio da mãe dela, e por muitos anos ameaçou levá-lo ao programa de TV que vendia antiguidades para avaliar seu preço. Ele tinha um pêndulo oscilante e soava a cada quinze minutos, alto o suficiente para fazer um desavisado pular de susto.

Toda a sala parecia um museu que mostrava como as pessoas viviam em épocas ancestrais. Nem televisão tinha. A única da casa ficava na cozinha, e quase nunca era ligada.

Ele continuou lendo. O que mais tinha para fazer?

Queria ter falado com o pai antes que ele embarcasse, mas com as visitas ao hospital, as diferenças de fuso horário e a tão conveniente enxaqueca da esposa nova, conversariam apenas quando ele chegasse.

Sabe-se lá quando seria. O garoto olhou para o relógio. Marcava meio dia e quarenta e dois. Soaria em três minutos.

Três minutos vazios, silenciosos.

Notou que estava nervoso de verdade. Tirando as conversas pelo Skype, fazia um tempão que havia visto o pai. Será que ele tinha mudado? Será que *Conor* tinha mudado?

E aqui surgiam as outras dúvidas. Por que ele estava vindo *agora*? Sua mãe não estava bem, parecia ainda pior depois de cinco dias no hospital, mas ela acreditava que os novos remédios fariam efeito. Ainda faltavam meses para o Natal e o aniversário de Conor já tinha passado. Então, por que vir agora?

Olhou para o chão, que estava coberto por um tapete oval com jeito de ser antigo e caro. Abaixou-se e levantou uma ponta do tapete, observando os tacos bem polidos. Tinha uma pequena falha em um deles. Conor passou os dedos por cima dela, mas a madeira era tão antiga e macia que não era possível sentir a diferença entre a falha e o resto do chão.

"Você está aí?", Conor sussurrou.

Deu um salto quando escutou a campainha. Levantou e saiu tropeçando da sala de estar, mais empolgado do que imaginou que ficaria. Abriu a porta da frente.

Lá estava seu pai, completamente diferente, mas exatamente o mesmo.

"E aí, filho", disse, a voz vibrando naquela entonação estranha inventada pelos americanos.

Conor sorriu como não fazia há pelo menos um ano.

CAMPEÃO

"E aí, como é que vão indo as coisas, campeão?", seu pai perguntou enquanto esperavam a garçonete trazer as pizzas.

"*Campeão?*", perguntou Conor sem acreditar, levantando uma das sobrancelhas.

"Desculpa", pediu o pai, sorrindo timidamente. "O inglês dos Estados Unidos é quase que uma outra língua."

"Cada vez que a gente conversa sua voz tá mais engraçada."

"Ah, sei, certo." Seu pai tamborilou no cálice de vinho. "É bom ver você."

Conor tomou um gole de Coca-Cola. Sua mãe estava bem mal quando eles chegaram no hospital. Tiveram que esperar sua avó ajudá-la no banheiro e no fim ela estava tão cansada que só conseguiu dizer "Oi, querido", para Conor, e "Olá, Liam", para o ex-marido, antes de pegar no sono. Sua avó os afugentou logo depois, com tal expressão no rosto que o pai de Conor nem ousou argumentar.

"Sua mãe, bem", falava o pai agora, piscando mais do que o normal. "Ela é uma guerreira, né?"

Conor encolheu os ombros.

"Então, como *você* está segurando a onda, Con?"

"Essa é, tipo, a milionésima vez que você me faz essa pergunta desde que chegou."

"Desculpa", pediu o pai.

"Eu tô *legal*. A mãe tá tomando um remédio novo. Ela vai melhorar. Sei que parece que ela tá mal, mas ela já ficou assim antes. Por que todo mundo está agindo como se..."

Parou e tomou mais um gole do refrigerante.

"Tem razão, filho", seu pai falou. "Tem toda razão." Ele ficou brincando com o cálice de vinho sobre a mesa. "Ainda assim", disse, "você vai ter que reunir muita coragem para ajudá-la, Con. Você vai ter que ser muito, muito corajoso."

"Você tá falando como naquelas séries americanas."

Seu pai riu baixinho. "Sua irmã está uma graça. Quase andando."

"*Meia*-irmã", corrigiu Conor.

"Quero muito que você conheça ela", prosseguiu o pai. "Temos que combinar logo uma visita. Quem sabe neste Natal? Você ia achar bacana?"

Conor encarou o pai. "E a mãe?"

"Já conversei sobre isso com sua avó. Ela achou uma boa ideia, desde que você volte antes das aulas começarem."

Conor começou a passar os dedos pela borda da mesa. "Então vai ser só uma visita?"

"Como assim?", perguntou o pai, meio surpreso. "Uma visita, e..." Sua voz fraquejou, e Conor percebeu que ele estava entendendo. "Conor..."

De repente Conor não quis mais que seu pai falasse. "Tem uma árvore me visitando", disse, bem rápido, enquanto descolava as pontas do rótulo da garrafinha de Coca. "Vem até meu quarto de noite, me conta histórias..."

Seu pai o encarou, perplexo. "*Quê?*"

"Eu achei que tava sonhando", continuou Conor, descascando o rótulo com a unha, "mas eu acordava e meu quarto estava cheio de folhas, e pequenas árvores começaram a brotar no chão. Estou escondendo todas, pra ninguém descobrir."

"Conor..."

"Ainda não apareceu na casa da vó. Eu fiquei pensando que deve ser porque ela mora muito longe e..."

"Do que você está..."

"Mas e daí, se for tudo um sonho? Quem garante que um sonho não pode atravessar a cidade? Ainda mais se é tão antigo quanto a terra e tão grande quanto o mundo..."

"Conor, *para* com isso..."

"*Não quero morar com minha avó*", explodiu Conor, e sua voz saiu enérgica, repleta de uma densidade que parecia sufocá-lo. Continuou encarando a garrafa de refrigerante, as unhas arranhando o papel úmido. "Por que não posso morar com você? Por que não posso ir para os Estados Unidos?"

O pai entreabriu os lábios. "Você diz quando..."

"A casa da vó é casa de gente velha", continuou Conor.

O pai esboçou um sorriso. "Vou contar que você chamou ela de velha."

"Você não pode tocar em nada, não pode sentar em lugar nenhum", disse Conor. "Não pode deixar nada fora do lugar nem por dois segundos. E só tem internet no escritório, e ela não me deixa ficar lá."

"A gente pode falar essas coisas pra ela. Acho que tem bastante espaço ali, bastante espaço pra você se ajeitar e ficar confortável."

"Eu não *quero* me ajeitar lá!", exclamou Conor, subindo a voz. "Quero o meu quarto na minha casa."

"Você não teria isso nos Estados Unidos", o pai falou. "Mal temos lugar pra nós três, Con. Sua avó tem muito mais dinheiro e espaço do que a gente. Além disso, sua escola está aqui, seus amigos estão aqui, sua *vida inteira* está aqui. Seria injusto tirarmos tudo isso de você."

"Injusto pra quem?", perguntou Conor.

Seu pai suspirou. "Foi isso que eu quis dizer", continuou. "Foi isso que eu quis dizer quando falei que você tem que ser corajoso."

"Isso é o que todo mundo tá repetindo", Conor respondeu. "Como se fizesse algum sentido."

"Sinto muito", seu pai falou. "Sei que parece injusto, e eu queria que fosse diferente..."

"Sério que queria?"

"*Claro* que sim." Seu pai se inclinou sobre a mesa em direção a ele. "Mas assim vai ser melhor. Você vai ver."

Conor engoliu em seco, ainda sem encará-lo. E engoliu em seco outra vez. "Podemos falar sobre isso de novo quando a mãe estiver melhor?"

Seu pai voltou a sentar na cadeira lentamente. "Claro que sim, amigão. É isso aí que a gente vai fazer."

Conor levantou a sobrancelha e olhou para ele. "*Amigão?*"

Seu pai sorriu. "Desculpa." Levantou o cálice de vinho e tomou um gole longo o bastante para secar toda a taça. Colocou-o na mesa, deu um pequeno engasgo e lançou um olhar zombeteiro para Conor. "O que foi mesmo que você falou sobre uma árvore?"

Mas a garçonete chegou e os dois ficaram em silêncio enquanto ela colocava as pizzas sobre a mesa. "Americana", resmungou Conor olhando para sua pizza. "Se você soubesse falar, acho que sua voz seria parecida com a do meu pai."

AMERICANOS NÃO TÊM MUITOS FERIADOS

"Acho que sua avó ainda não chegou", o pai falou, estacionando o carro em frente à casa dela.

"Às vezes ela volta pro hospital depois que já fui pra cama. As enfermeiras deixam ela dormir numa cadeira."

O pai balançou a cabeça. "Sua avó pode não gostar de mim", disse, "mas não é má pessoa."

Conor olhou para a casa, ainda de dentro do carro. "Quanto tempo você vai ficar aqui?" Até aquele momento, teve medo de perguntar.

Seu pai expirou devagar, soltando lentamente o ar pela boca, de um jeito que anunciava más notícias. "Acho que só por uns dias."

Conor se virou para o pai. "*Só?*"

"Americanos não têm muitos feriados."

"Você não é americano."

"Mas eu moro lá agora." Ele deu um sorriso forçado. "Você até ficou debochando do meu sotaque a noite toda."

"Então pra que você veio?", perguntou Conor. "Por que se preocupou em aparecer?"

Seu pai esperou um pouco para responder. "Vim porque sua mãe me pediu." Parecia que ele ia falar mais, só que ficou quieto.

Conor também não disse nada.

"Mas eu volto", falou. "Você sabe, quando precisar." A voz dele ficou mais alegre. "E você vai visitar a gente no Natal! Vai ser muito divertido!"

"Na sua casa lotada que não tem espaço pra mim", retrucou Conor.

"Conor..."

"E daí eu volto pra cá antes das aulas começarem."

"Con..."

"Por que você veio?", Conor repetiu, a voz baixa.

Seu pai não respondeu. O silêncio cresceu no carro, como se houvesse um abismo entre eles. O pai estendeu o braço para abraçar Conor, mas o garoto desviou e abriu a porta do carro para sair.

"Conor, *espera*."

Conor parou, mas não se virou.

"Quer que eu entre e fique até sua avó chegar?", perguntou. "Posso te fazer companhia."

"Fico sozinho numa boa", disse Conor, e saiu do carro.

Quando entrou na casa, havia só o silêncio. Por que seria diferente?

Ele estava sozinho.

Conor se jogou naquele sofá luxuoso, escutando-o ranger sob seu corpo. Era um som tão agradável que ele levantou e se jogou de novo. Depois ficou de pé no sofá e pulou, fazendo as perninhas de madeira gemerem enquanto deslizavam alguns centímetros pelo chão, deixando quatro marcas idênticas no piso.

Sorriu. A sensação era *ótima*.

Pulou para o chão e empurrou o sofá com um chute, fazendo-o deslizar ainda mais. Nem percebeu que estava arfando. Sentia o rosto quente, como se tivesse febre. Se preparou para dar outro chute no sofá. Foi quando viu o relógio.

O precioso relógio da avó, pendurado sobre a lareira, o pêndulo indo e vindo, indo e vindo, como se tivesse vida própria e não desse a mínima para Conor.

Aproximou-se lentamente do relógio, os punhos cerrados. Apenas alguns instantes antes de ele fazer o *blem-blem-blem* das nove horas. Conor ficou lá parado até o ponteiro maior encostar no doze. No momento em que o *blem* ia começar, Conor agarrou o pêndulo, prendendo-o no ponto mais alto de seu balanço.

Escutou o mecanismo do relógio reclamando assim que reverberou o primeiro *b* do *blem* interrompido. Com a mão que estava livre, Conor puxou os ponteiros de minutos e segundos, afastando-os do doze. Eles resistiram, mas ele puxou com mais força, até escutar um *clique* bem alto, que não pareceu nada bom. De repente os ponteiros ficaram frouxos, e Conor os girou. Alcançou o ponteiro das horas e o girou também, escutando outros meio-*blens* frustrados e *cliques* dolorosos de dentro do relógio.

Podia sentir gotas de suor se acumulando na testa e no peito, se sentia quente como se fosse incandescer.

(... como se estivesse no pesadelo, o mundo liquefeito e arrancado dos eixos, mas desta vez era ele quem mandava, desta vez *ele* era o pesadelo...)

O segundo ponteiro, o menor dos três, subitamente saltou para fora do relógio, quicou no tapete e desapareceu nas cinzas da lareira.

Conor deu um passo rápido para trás, soltando o pêndulo, que voltou para a posição central, mas não recomeçou seu balanço. O relógio tampouco fez seus típicos ruídos e tiques, os ponteiros agora congelados no mesmo lugar.

Ops.

O estômago de Conor começou a se contorcer quando ele se deu conta do que tinha feito.

Ah não, pensou.

Ah *não*.

Ele tinha quebrado.

Um relógio que provavelmente valia mais do que o carro capenga da sua mãe.

Sua avó ia matá-lo, sem exagero, ia matá-lo *de verdade*.

Foi quando percebeu.

O relógio tinha parado marcando hora e minutos específicos.

12:07.

Tratando-se de destruição, o monstro falou atrás dele, *isso me dá pena*.

Conor rodou feito um pião. De algum jeito, de alguma maneira, o monstro estava na sala da sua avó. Ele era grande demais, claro, então precisava se abaixar muito para caber lá dentro. Os galhos e folhas enroscados, se apertando se apertando para ficarem menores, e lá estava ele, ocupando cada canto.

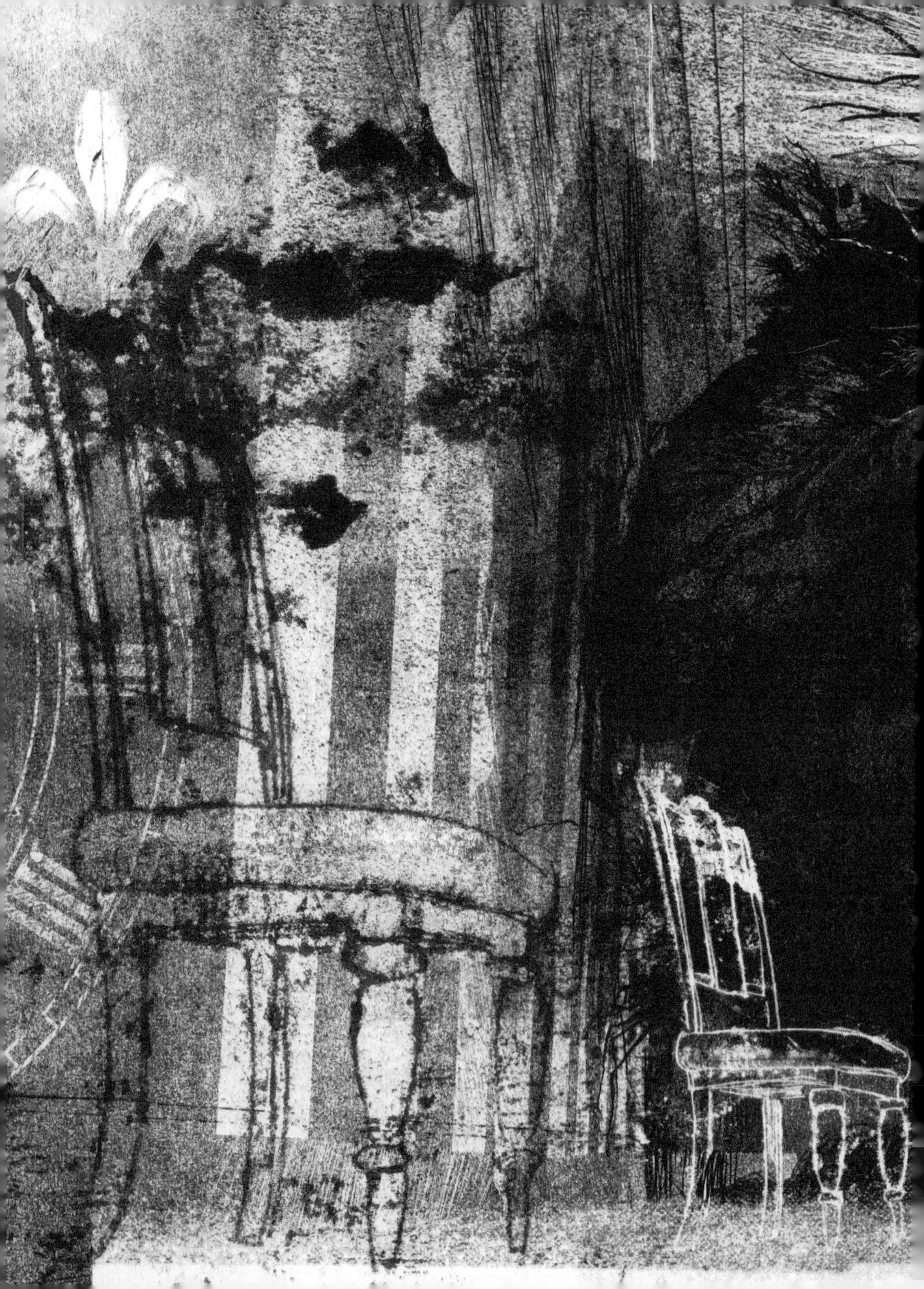

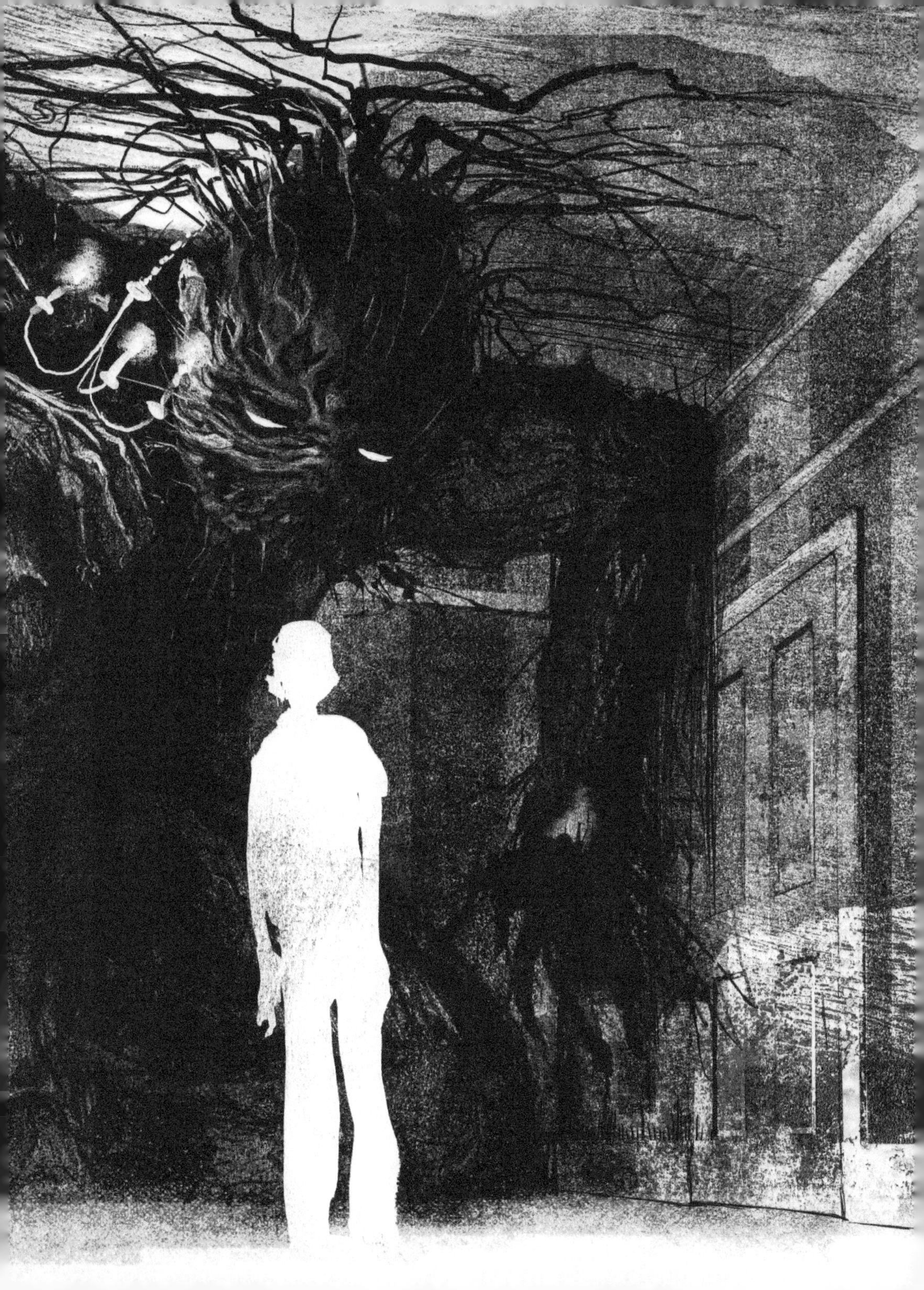

*É o tipo de destruição que espero de um **garotinho**,* disse o monstro, sua respiração ondulando os cabelos de Conor.

"O que você tá fazendo aqui?", Conor perguntou. Sentiu uma esperança repentina. "Estou dormindo? Isso é um sonho? Como aquela vez que você quebrou a janela do meu quarto e eu acordei e..."

Vim contar a segunda história, falou o monstro.

Conor soltou um grunhido irritado e virou para o relógio quebrado. "Vai ser tão ruim quanto a última?", questionou, distraído.

Termina em uma verdadeira destruição, se é isso que você quer dizer.

O garoto olhou para o monstro. O rosto dele tinha se reorganizado naquele sorriso malévolo que Conor já conhecia.

"É uma história que engana?", perguntou. "Parece que vai ser de um jeito e acaba sendo de outro totalmente diferente?"

Não, respondeu o monstro. *É sobre um homem que só pensava em si mesmo.* O monstro sorriu de novo, parecendo ainda mais perverso. *E sofreu punições muito, muito severas.*

Conor parou de respirar por um instante e ficou pensando sobre o relógio quebrado, sobre os riscos no piso de madeira, sobre as frutinhas do monstro que caíam sobre o chão limpo da sala da avó.

Pensou no pai.

"Estou ouvindo", disse.

A SEGUNDA HISTÓRIA

*Há cento e cinquenta anos, começou o monstro, este país se industrializava. Fábricas brotavam do chão como se fossem grama. Árvores foram derrubadas, campos foram devastados, os rios escureceram. O céu se engasgou com a fumaça e as cinzas, e as pessoas passavam os dias tossindo e se coçando, com olhos sempre voltados para o chão. Vilarejos se tornaram povoados, povoados se tornaram cidades. Os indivíduos passaram a viver **da** terra, mais do que fazer **parte** dela.*

Mas ainda existia verde, se você soubesse para onde olhar.

(O monstro abriu a mão, e uma neblina preencheu a sala de estar. Quando tudo clareou, Conor e o monstro estavam em um campo verdejante, de onde enxergavam um vale de metal e tijolos.)

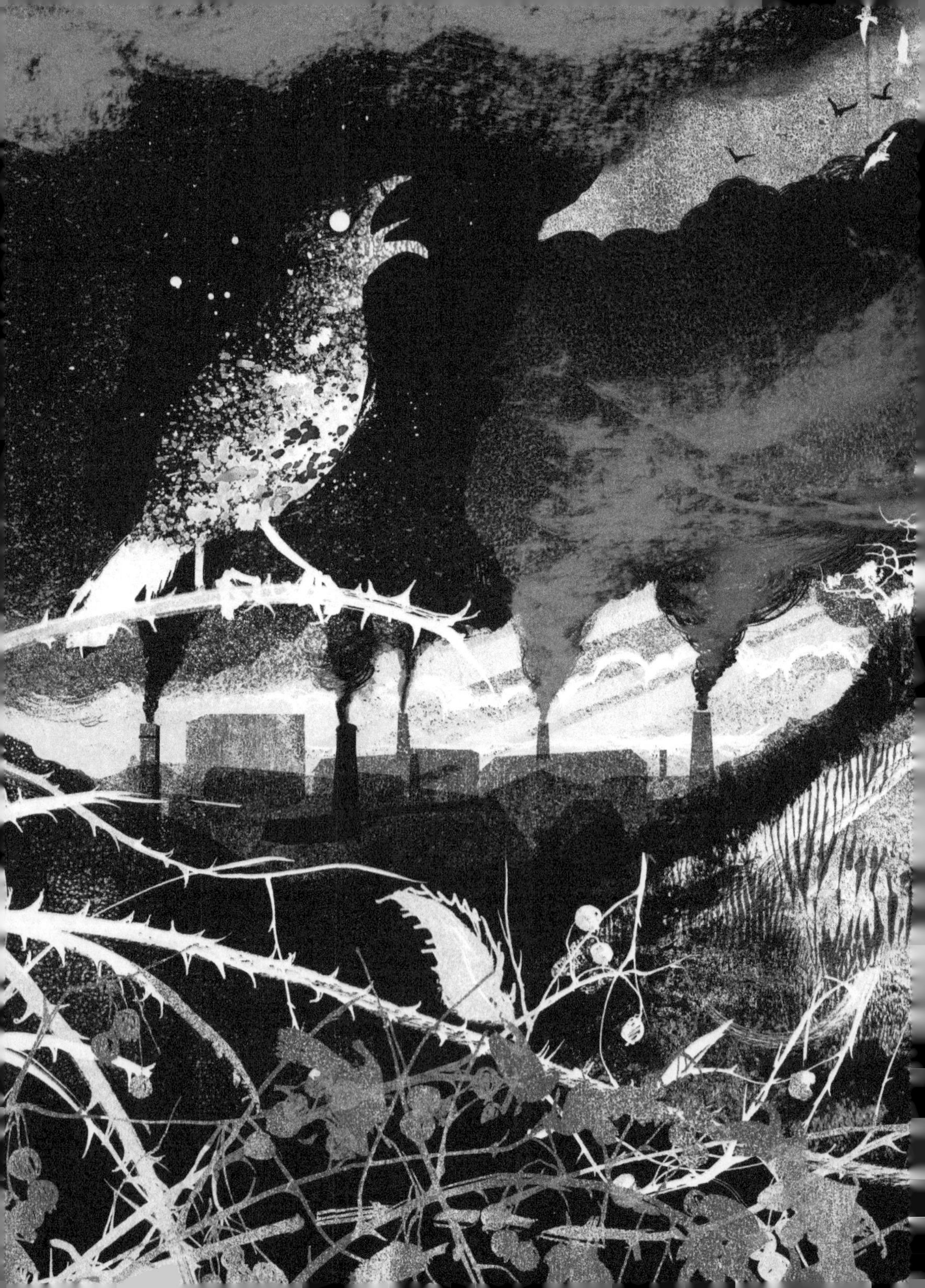

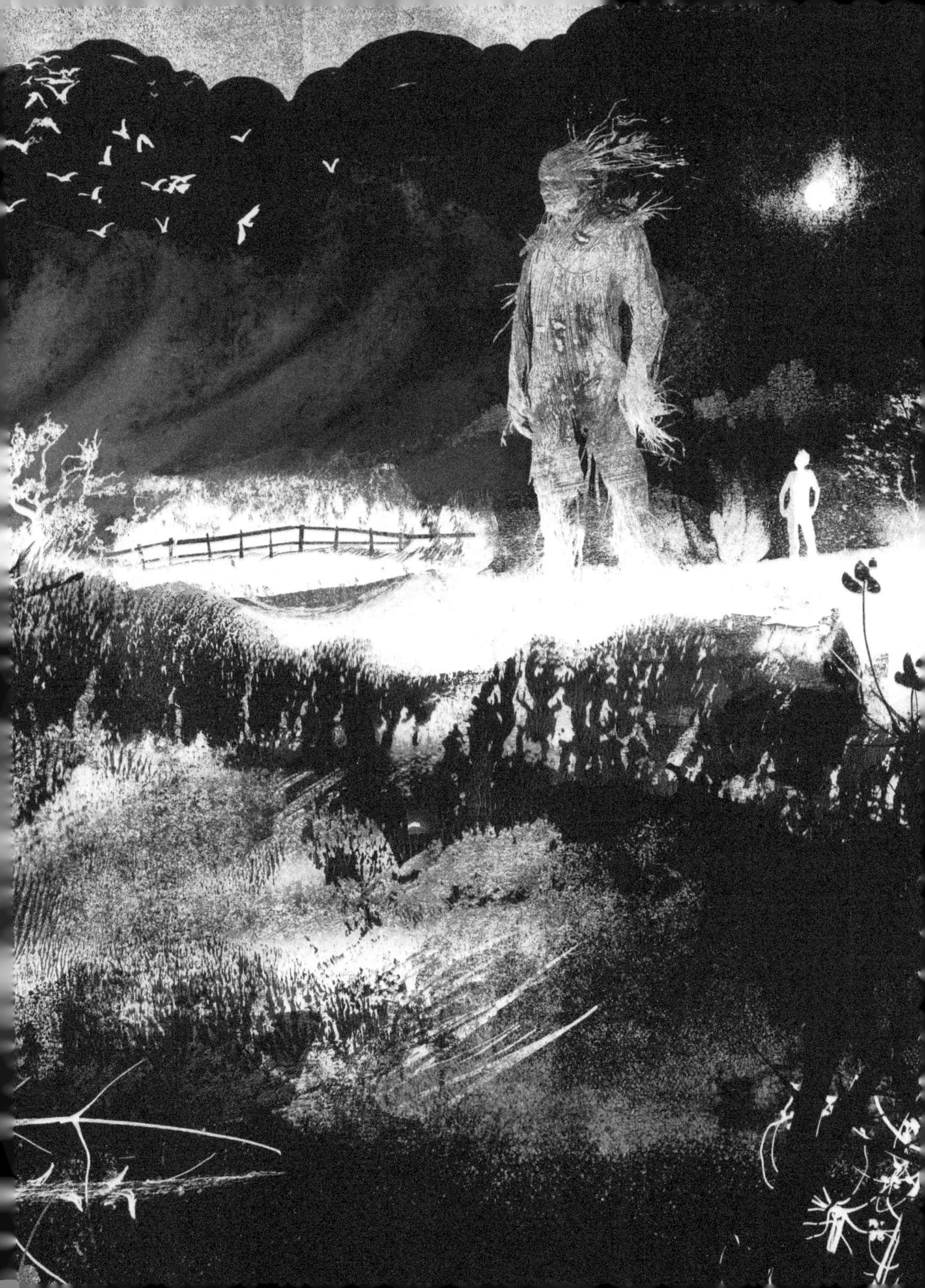

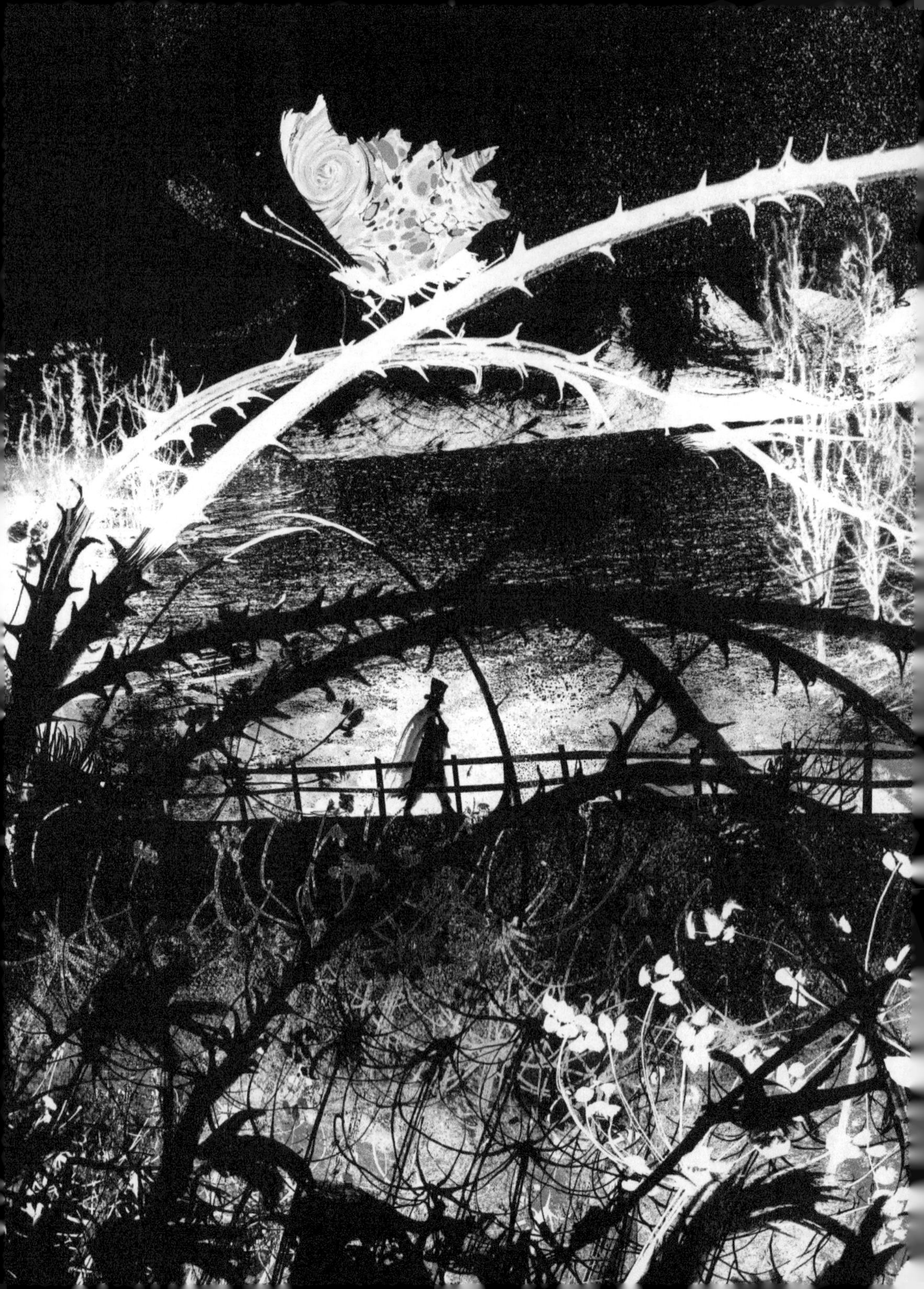

("Devo estar *mesmo* dormindo", observou Conor.)

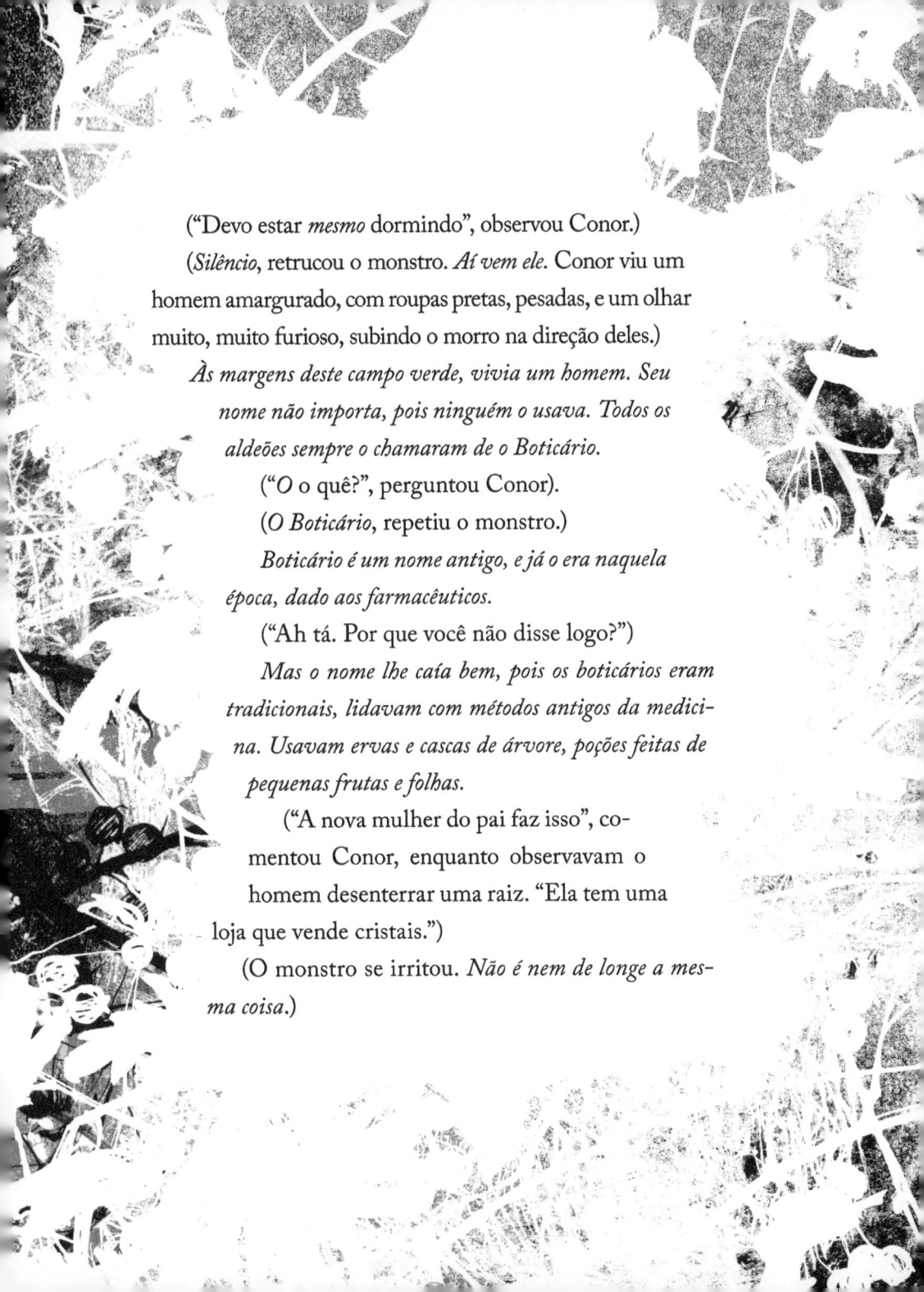

(*Silêncio*, retrucou o monstro. *Aí vem ele*. Conor viu um homem amargurado, com roupas pretas, pesadas, e um olhar muito, muito furioso, subindo o morro na direção deles.)

Às margens deste campo verde, vivia um homem. Seu nome não importa, pois ninguém o usava. Todos os aldeões sempre o chamaram de o Boticário.

("*O* o quê?", perguntou Conor).

(*O Boticário*, repetiu o monstro.)

Boticário é um nome antigo, e já o era naquela época, dado aos farmacêuticos.

("Ah tá. Por que você não disse logo?")

Mas o nome lhe caía bem, pois os boticários eram tradicionais, lidavam com métodos antigos da medicina. Usavam ervas e cascas de árvore, poções feitas de pequenas frutas e folhas.

("A nova mulher do pai faz isso", comentou Conor, enquanto observavam o homem desenterrar uma raiz. "Ela tem uma loja que vende cristais.")

(O monstro se irritou. *Não é nem de longe a mesma coisa.*)

O Boticário andava pelo campo várias vezes por dia para recolher ervas e folhas. Mas com o passar dos anos, precisou percorrer distâncias cada vez maiores, pois as estradas e as fábricas se espalhavam com a mesma rapidez que as urticárias que ele era tão bom em tratar. Se antes colhia passiflora e rosas antes do café da manhã, agora a atividade lhe tomava o dia todo.

O mundo estava mudando, e o Boticário ficou amargurado. Ou melhor, **mais** amargurado, pois ele sempre havia sido um sujeito desagradável. Era ganancioso e cobrava caro por seus remédios, sempre mais do que o paciente podia pagar. Mesmo assim, se surpreendia em ver como os aldeões o odiavam, achando que deveria ser tratado com muito mais respeito. E por ele ser desagradável, as pessoas também eram desagradáveis com ele, até, conforme o tempo foi passando, seus pacientes começarem a procurar outro boticário, a procurar remédios mais modernos de outro boticário, a procurar curandeiros mais modernos. O que só fez, claro, o Boticário ficar ainda mais ranzinza.

(A névoa os cercou outra vez e o cenário mudou. Agora se encontravam sobre uma clareira no alto de um pequeno morro. Havia uma casa paroquial de um lado e um enorme teixo cercado por algumas lápides novas.)

No vilarejo do Boticário também morava um pároco...

("Ei, este é o morro que fica atrás da minha casa", interrompeu Conor. Olhou ao redor, mas ainda não existia a linha de trem, nem a fileira de casas, apenas trilhas batidas no chão e um sujo leito de rio.)

O pároco tinha duas filhas, prosseguiu o monstro, *que eram a luz da vida dele.*

(Duas garotas saíram gritando da casa paroquial, rindo e correndo e tentando se atingir com punhados de grama. Rodearam a árvore, tentando se esconder uma da outra.)

("É você", disse Conor, apontando para a árvore que, naquele momento, era apenas uma árvore.)

Sim, certo, no terreno do pároco também havia um teixo.

(*E que belo teixo,* acrescentou o monstro.)

("Você que tá dizendo", falou Conor.)

Agora, o Boticário desejava muito aquela árvore.

("Sério?", Conor perguntou. "Por quê?")

(O monstro pareceu surpreso. *O teixo é a árvore mais importante de todas as usadas pela medicina,* explicou. *Vive por milhares de anos. Seus frutos, sua casca, sua seiva, sua polpa, sua madeira, tudo se fragmenta e queima e cria vida. Pode curar quase qualquer doença que sofra o homem, desde que um bom boticário o manipule.*)

(O garoto franziu as sobrancelhas. "Você tá inventando.")

(A expressão do monstro ganhou ar tempestuoso, encolerizado. *Você ousa* **me** *questionar, jovem?*)

("Não", respondeu Conor, voltando atrás com a fúria do monstro. "Só nunca tinha ouvido falar disso.")

(O monstro permaneceu irritado por mais alguns momentos, e então deu continuidade à história.)

Para colher esses materiais curativos da árvore, o Boticário precisaria derrubá-la. E isso o pároco nunca permitiria. O teixo fazia parte daquela terra muito antes de a paróquia se instalar ali. O cemitério já estava em uso, e uma nova edificação da igreja seria construída em breve. A árvore protegeria a igreja da chuva forte e do clima rigoroso. O pároco – não importava quantas vezes o Boticário pedisse, e ele pedia com bastante frequência – não deixava o Boticário se aproximar do teixo.

É preciso dizer que o pároco era um homem culto e gentil. Buscava o melhor para sua congregação, queria tirá-la do obscurantismo, acabar com a crença em superstições e feitiçaria. Pregava contra a medicina antiga praticada pelo Boticário, e a personalidade repugnante daquele homem, misturada à sua avareza, soava como música aos ávidos ouvidos da plateia. Assim, o negócio do Boticário afundou ainda mais.

Mas então um dia as filhas do pároco caíram doentes. Primeiro uma, depois a outra. Contraíram uma infecção que varreu o interior do país.

(O céu escureceu e Conor conseguia escutar o som da tosse das meninas vindo da casa paroquial, conseguia escutar a reza fervorosa do pai e os lamentos da mãe.)

Nada do que o pároco fazia ajudava. Nenhuma reza, nenhum medicamento receitado pelo moderno médico que morava a duas cidades de distância, nenhum remédio oferecido em segredo pelos paroquianos. Nada. As meninas definhavam e estavam à beira da morte. Por fim, não havia escolha a não ser falar com o Boticário. O pároco deixou o orgulho de lado e foi implorar perdão a ele.

"Por favor, ajude minhas filhas", o pároco se ajoelhou na porta do Boticário. *"Se não por mim, por duas garotas inocentes."*

"Por que eu faria isso?", perguntou o Boticário. *"Você afugentou meus clientes com seus sermões. Recusou-se a ceder o teixo, minha melhor fonte de material para cura. Você fez todo o vilarejo se voltar contra mim."*

"Você pode ficar com o teixo", disse o pároco. *"Pregarei a seu favor. Recomendarei seus tratamentos aos paroquianos a cada pequena doença que tiverem. Você pode ter o que quiser de mim, desde que salve minhas filhas."*

O Boticário ficou perplexo. "Você abandonaria tudo aquilo em que acredita?"

"Se isso salvasse minhas filhas", admitiu o pároco, *"largaria tudo."*

"Então", o Boticário fechou a porta na cara do pároco, *"não há nada que eu possa fazer para ajudá-lo."*

("O quê?!?!", exclamou Conor)

Naquela mesma noite, as filhas do pároco morreram.

(*"O quê?"*, Conor perguntou de novo, a sensação do pesadelo abraçando seu estômago.)

Naquela mesma noite, eu apareci.

("Ótimo!", gritou o garoto. "Aquele idiota merece a maior punição do mundo!")

(*Também pensei a mesma coisa*, disse o monstro.)

Logo depois da meia-noite, dilacerei a casa do pároco.

O RESTO DA SEGUNDA HISTÓRIA

Conor deu um rodopio. "Do *pároco?*"

Exatamente, respondeu o monstro. *Arremessei o telhado da casa montanha abaixo e derrubei cada uma das paredes com minhas próprias mãos.*

A casa do pároco ainda estava em frente a eles, e Conor viu o teixo se transformar no monstro e investir ferozmente contra ela. Após o primeiro golpe no telhado a porta da frente voou e o pároco e sua esposa saíram correndo, apavorados. Eles viram o monstro jogar o telhado na direção deles, errando por pouco.

"O que você tá *fazendo?*", gemeu Conor. "O Boticário que é o vilão!"

É mesmo?, perguntou o monstro, que se encontrava atrás do garoto.

Houve um grande ruído quando o monstro que assistiam colocou a parede da frente da casa abaixo.

"É óbvio que é!", gritou Conor. "Ele se recusou a ajudar as duas garotas! E elas *morreram!*"

O pároco se recusou a acreditar que o Boticário poderia ajudar alguém, falou o monstro. *Quando tudo estava bem, ele quase destruiu o Boticário, mas quando as coisas ficaram difíceis, se dispôs a abandonar toda sua crença para salvar as filhas.*

"E daí?", rebateu Conor. "Qualquer pessoa faria isso! *Qualquer* um! O que você *esperava* que ele fizesse?"

Eu esperava que ele tivesse dado o teixo ao Boticário quando ele pediu pela primeira vez.

Isso deixou Conor atônito. Ouviram-se mais ruídos da casa paroquial, outra parede desabando. "Você deixaria que te matassem?"

Sou muito mais do que apenas uma árvore, disse o monstro, *mas sim, eu deixaria que cortassem o teixo. Teria salvado as filhas do pároco. E muitas, muitas outras pessoas.*

"Mas ele teria matado a árvore, e isso teria feito ele ficar rico!", Conor urrou. "Ele era o vilão!"

O Boticário era ganancioso e rude e amargurado, mas ainda assim curava pessoas. O pároco, no entanto, o que ele era? Ele não era **nada**. *Acreditar em algo é metade do processo de cura. Acreditar na cura, acreditar no futuro que nos espera. E ele era um homem que* **vivia** *da crença, mas que abandonou tudo no primeiro desafio, quando mais precisava daquilo. Sua crença era egoísta e temerosa. E lhe custou a vida das filhas.*

Conor ficou mais irritado. "Você disse que esta história não teria truques."

Disse que era uma história de um homem que seria punido por só pensar em si mesmo. E, de fato, assim foi.

Enquanto se acalmava, Conor observou o outro monstro destruindo a casa paroquial. Uma gigantesca perna derrubou a escadaria com um só golpe. Um gigantesco braço demoliu as paredes dos quartos.

Conte-me, Conor O'Malley, disse o monstro, atrás dele. *Você gostaria de participar da destruição?*

"Participar?", repetiu, surpreso, o garoto.

É muito gratificante, posso garantir.

O monstro deu um passo para a frente, equiparando-se ao seu segundo eu, e com o pé esmagou um sofá bastante similar ao da avó de Conor. O monstro encarou o garoto, esperando.

O que devo destruir agora?, perguntou, dando um passo em direção ao outro monstro e, numa apavorante mancha, se misturando a ele, para formar um só monstro ainda maior.

Aguardo suas ordens, jovem, disse.

Conor sentiu a respiração pesada outra vez. O coração galopava e a sensação de estar incandescendo o atingia de novo. Aguardou por um bom tempo.

E então comandou, "Derrube a lareira".

O soco do monstro imediatamente atingiu a lareira de pedra e a pôs abaixo, a chaminé de tijolos desabando em cima dela com um grande estardalhaço.

A respiração de Conor ficou ainda mais pesada, como se fosse ele quem estivesse destruindo as coisas.

"Jogue as camas deles pra longe!", disse.

O monstro pegou as camas dos dois quartos já sem telhados e as arremessou no ar com tanta força que parecia que elas navegavam no horizonte antes de caírem no chão.

"Esmaga os móveis deles!", urrou Conor. "Esmaga tudo!"

O monstro saiu andando por toda a casa, estraçalhando cada pedaço de móvel que pudesse ser destroçado e esmigalhado.

"DERRUBA TUDO!", rugiu Conor, e o monstro rugiu em resposta, e esmurrou as paredes restantes, fazendo-as desabar. Conor correu para ajudá-lo, pegando um galho caído e quebrando vidros de uma janela ainda intacta.

O garoto gritava enquanto fazia isso, tão alto que nem conseguia escutar o próprio pensamento desaparecendo dentro do delírio da destruição, a mente esvaziada enquanto quebrava, quebrava, quebrava.

O monstro tinha razão. Aquilo era *muito* bom.

Conor gritou até ficar rouco, golpeou até seus braços ficarem doloridos, rugiu até quase cair no chão, exausto.

Quando finalmente parou, notou que o monstro o observava em silêncio, distante dos destroços. Conor, arfante, se apoiou no galho para não perder o equilíbrio.

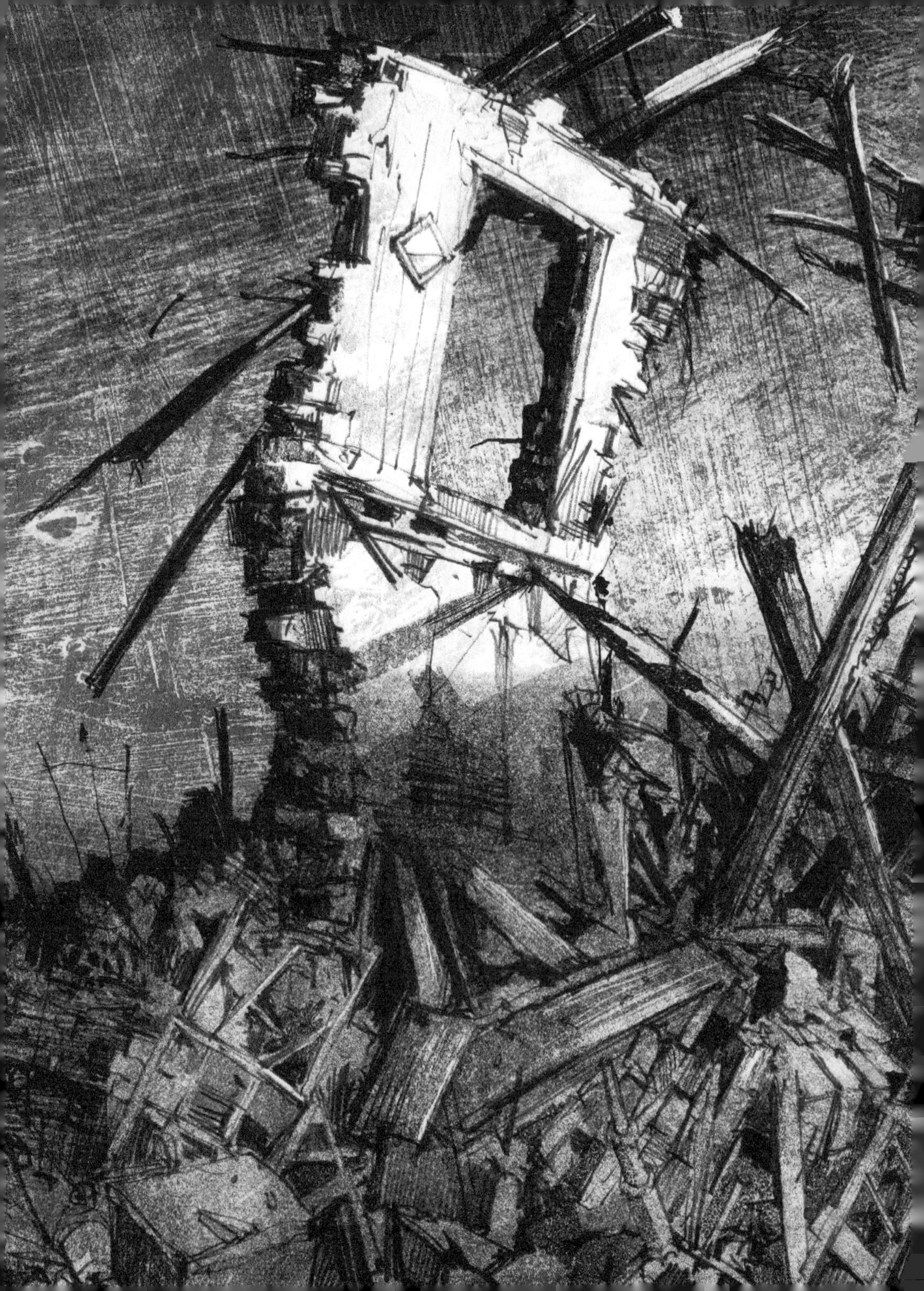

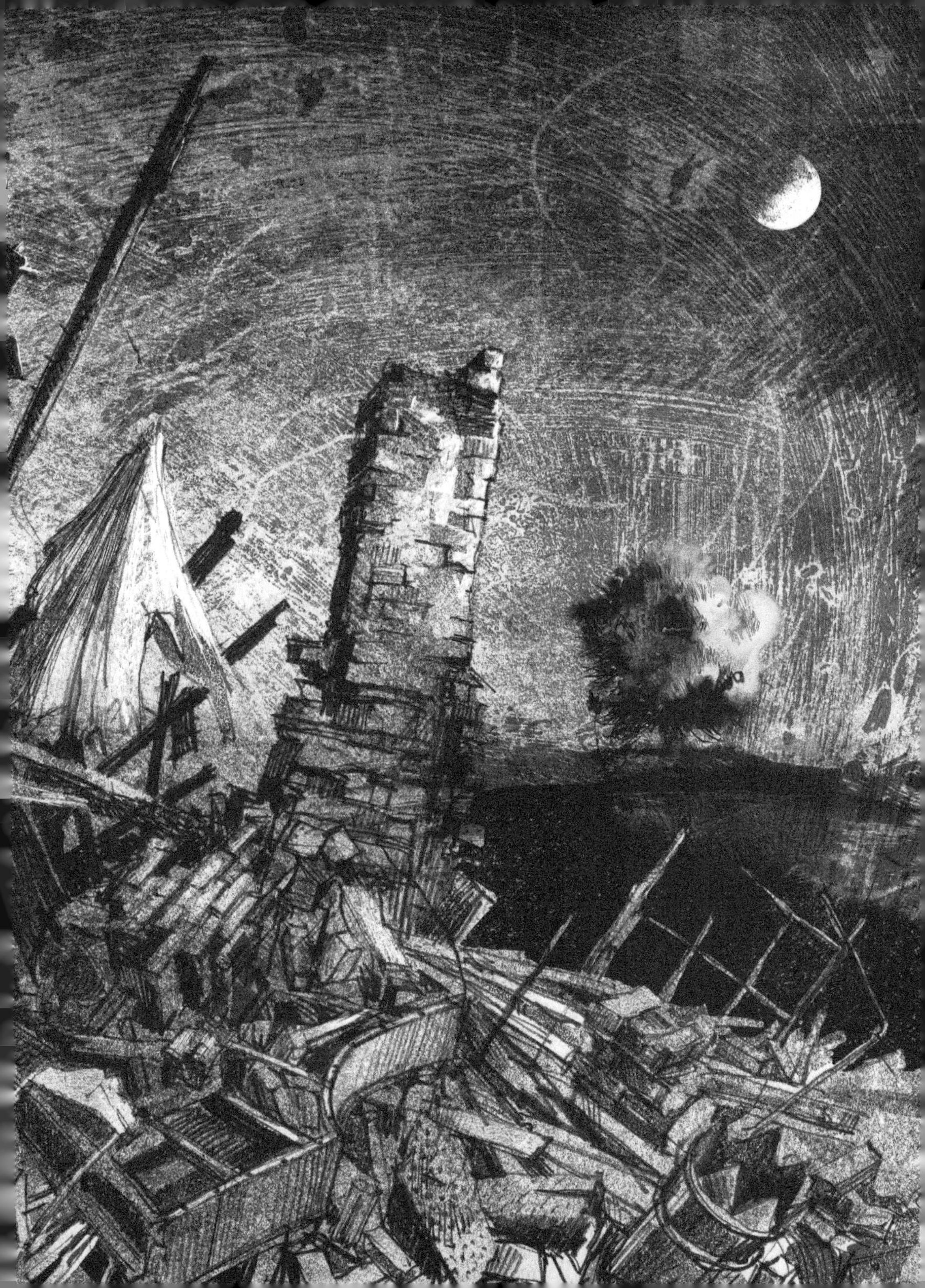

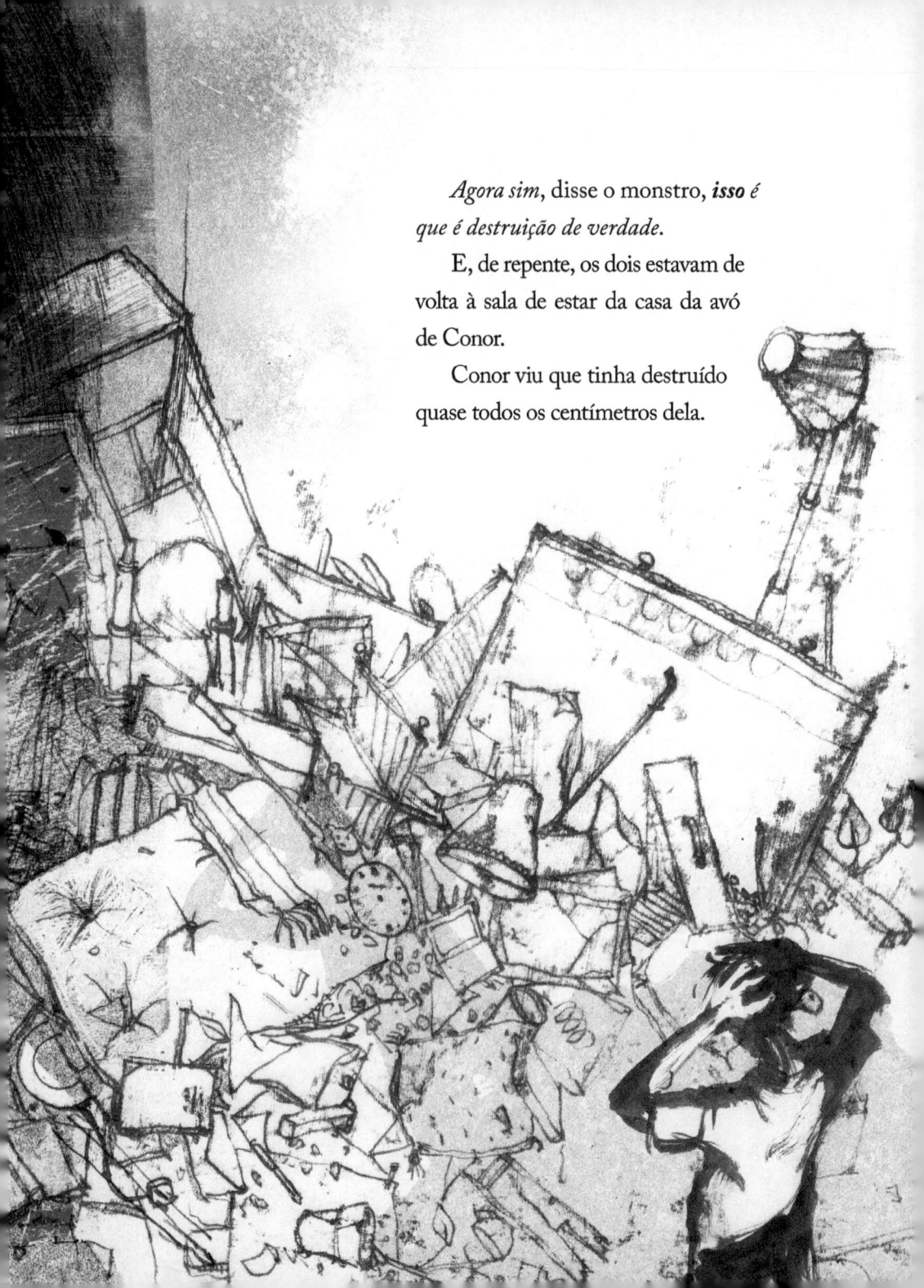

Agora sim, disse o monstro, ***isso é que é destruição de verdade.***

E, de repente, os dois estavam de volta à sala de estar da casa da avó de Conor.

Conor viu que tinha destruído quase todos os centímetros dela.

DESTRUIÇÃO

O sofá estava em frangalhos, completamente destruído. Cada uma de suas frágeis pernas havia sido quebrada, o estofado retalhado, nacos de espuma espalhados pelo piso, os restos do relógio arrancados da parede e estilhaçados em inúmeros fragmentos. Assim também ficaram as luminárias e o conjunto de mesinhas que estavam ao lado do sofá, e também a estante abaixo da janela da frente, cada livro que nela antes permanecia guardado, rasgado de ponta a ponta. Até mesmo o papel de parede tinha sido arrancado em tiras malfeitas e desiguais. A única coisa que continuava inteira era o armário, apesar de as portas de vidro terem sido quebradas e todas as coisas que ficavam dentro dele, arremessadas no chão.

Conor congelou, em choque. Olhou para suas mãos doloridas pelo esforço, cobertas de arranhões e sangue, as unhas quebradas.

"Ai, meu Deus", sussurrou.

Virou-se em direção ao monstro.

Que não estava mais lá.

"O que foi que você *fez*?", gritou para o repentino vazio silencioso. Ele mal conseguia mexer os pés com tantos destroços espalhados pelo chão.

Ele *não podia* ter feito tudo aquilo sozinho.

Sem chances.

(... ou podia?)

"Ai, meu Deus", repetiu. "Ai, meu Deus."

Destruir é muito gratificante, escutou, mas era quase como um sussurro ao vento, ausente.

E então ouviu o carro da sua avó estacionar na garagem.

Não havia para onde fugir. Nem tempo para escapar pela porta dos fundos e de alguma maneira correr, correr até algum lugar onde sua avó nunca mais o encontrasse.

Nem mesmo seu pai, pensou, ficaria com ele quando soubesse o que tinha feito. Nunca autorizariam um menino que era capaz daquilo a morar numa casa com um bebê...

"Ai, meu Deus", disse Conor mais uma vez, o coração quase saindo pela boca.

Sua avó encaixou a chave na fechadura e abriu a porta.

Na fração de segundo seguinte à que ela virou no corredor para chegar à sala de estar, ainda mexendo na bolsa, antes de entender onde Conor estava e o que tinha acontecido, o garoto viu o rosto dela: o quanto estava cansado, sem expressar novidades, boas ou más, a mesma noite de sempre no hospital com a mãe de Conor, a mesma noite de sempre que os desgastava tanto. Então ela olhou em volta.

"O que dia...?", soltou, refreando a si mesma antes de dizer "diabos" na frente de Conor. Ficou paralisada, segurando a bolsa no ar. Apenas seus olhos se moviam, tentando assimilar, descrentes, a destruição da sala de estar, quase se recusando a acreditar no que de fato tinha acontecido. Conor nem sequer ouvia sua respiração.

E então olhou para ele, o queixo caído, os olhos arregalados. Encontrou-o no meio daquilo, as mãos ensanguentadas pelo que tinha feito.

Seus lábios se juntaram, mas não enrugaram na expressão rígida de sempre. Eles tremiam e balançavam, como se ela estivesse lutando contra as lágrimas, como se quase não conseguisse segurar o choro.

E então ela soltou um gemido, que vinha do fundo do peito, sua boca ainda fechada.

Soava tão doloroso, Conor teve que se controlar para não tapar os ouvidos.

E ela repetiu o gemido. E de novo. E de novo, até se tornar um som contínuo, um gemido horrendo e sem-fim. Sua bolsa caiu no chão. Ela colocou as mãos espalmadas sobre a boca, como se fosse a única forma possível de conter o horrível, doloroso, *lancinante* som que insistia em transbordar de seu corpo.

"Vó?", chamou Conor, a voz desafinada de pavor.

E então, ela gritou.

Tirou as mãos do rosto, cerrando os punhos, escancarou a boca e gritou. Gritou tão alto que Conor *realmente* tapou os ouvidos. Ela não estava olhando para ele, não estava olhando para *nada*, apenas gritava.

Conor nunca tinha sentido tanto medo. Era como se estivesse no fim do mundo, como se estivesse vivo e acordado dentro de seu pesadelo, os gritos, o *vazio*...

Então ela entrou, de fato, na sala.

Avançou pisando sobre os destroços, como se não os enxergasse. Conor saiu rápido da sua frente, tropeçando nos restos do sofá. Levantou as mãos para se proteger, esperando o golpe que viria a qualquer instante...

Mas ela não avançava em sua direção.

Passou rente a ele, o rosto marcado pelas lágrimas, o gemido novamente entornando de dentro de si. Caminhou em direção ao armário, a única coisa que havia permanecido em pé na sala.

Segurou-o de um lado...

Puxou-o com força uma vez...

Duas vezes...

E uma terceira.

Derrubando-o no chão com um *cabum* final.

Deu um último gemido e se inclinou para a frente, apoiando as mãos nos joelhos, a respiração ofegando.

Não olhou para Conor, não olhou para ele nem uma vez ao se levantar e sair da sala, deixando a bolsa atirada ao chão, indo diretamente para o quarto e fechando discretamente a porta atrás de si.

Conor ficou ali parado por um tempo, sem saber se devia se mexer ou não.

Depois do que pareceu ser uma eternidade, foi até a cozinha para buscar sacos de lixos vazios. Ficou limpando a bagunça até altas horas, mas tinha coisa demais. Quando ele finalmente desistiu, o sol já despontava.

Subiu as escadas, sem se importar em tirar a sujeira ou o sangue seco das mãos. Ao passar pelo quarto da avó, viu, pela luz acesa, que ela ainda estava acordada.

Podia escutá-la chorando.

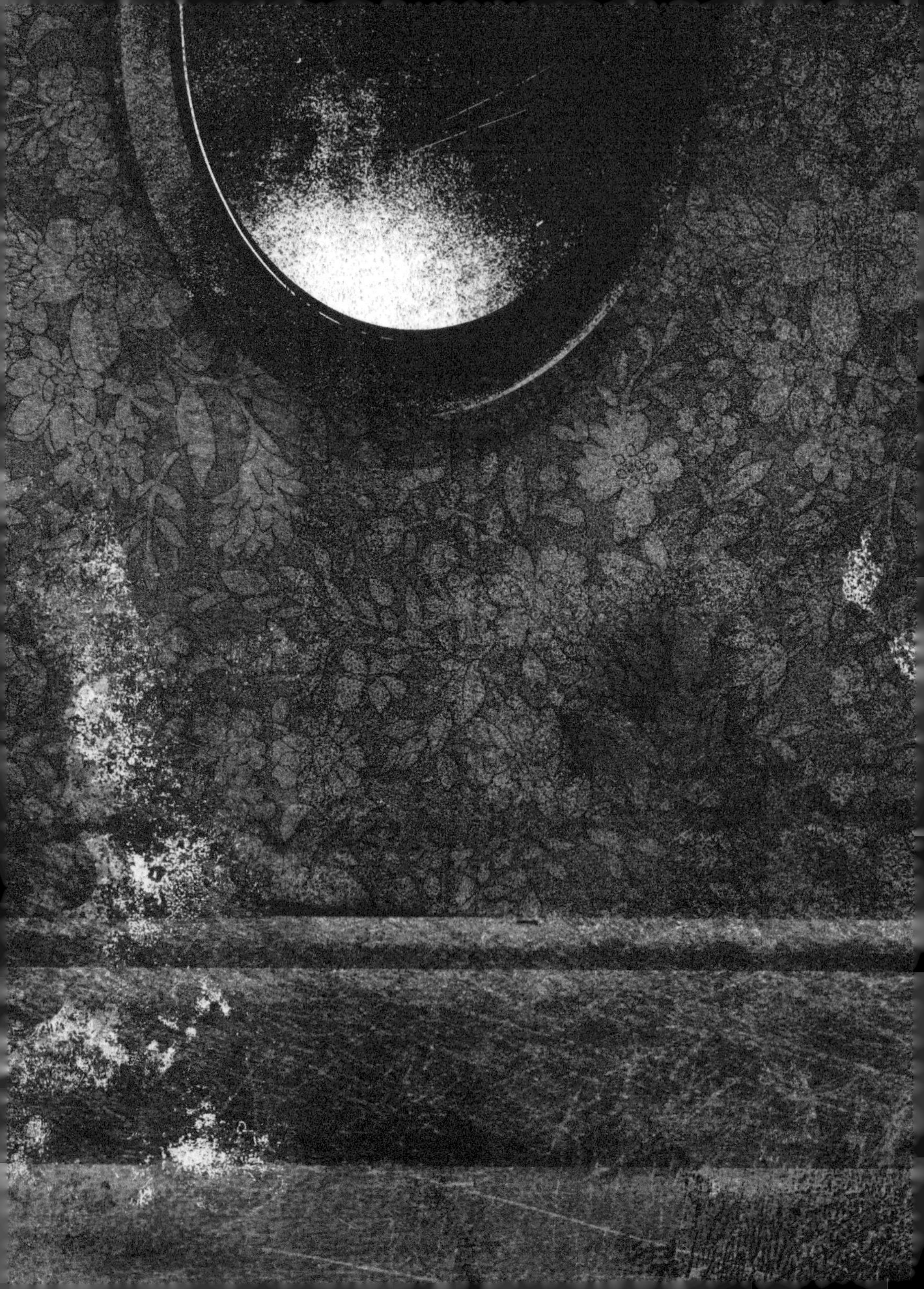

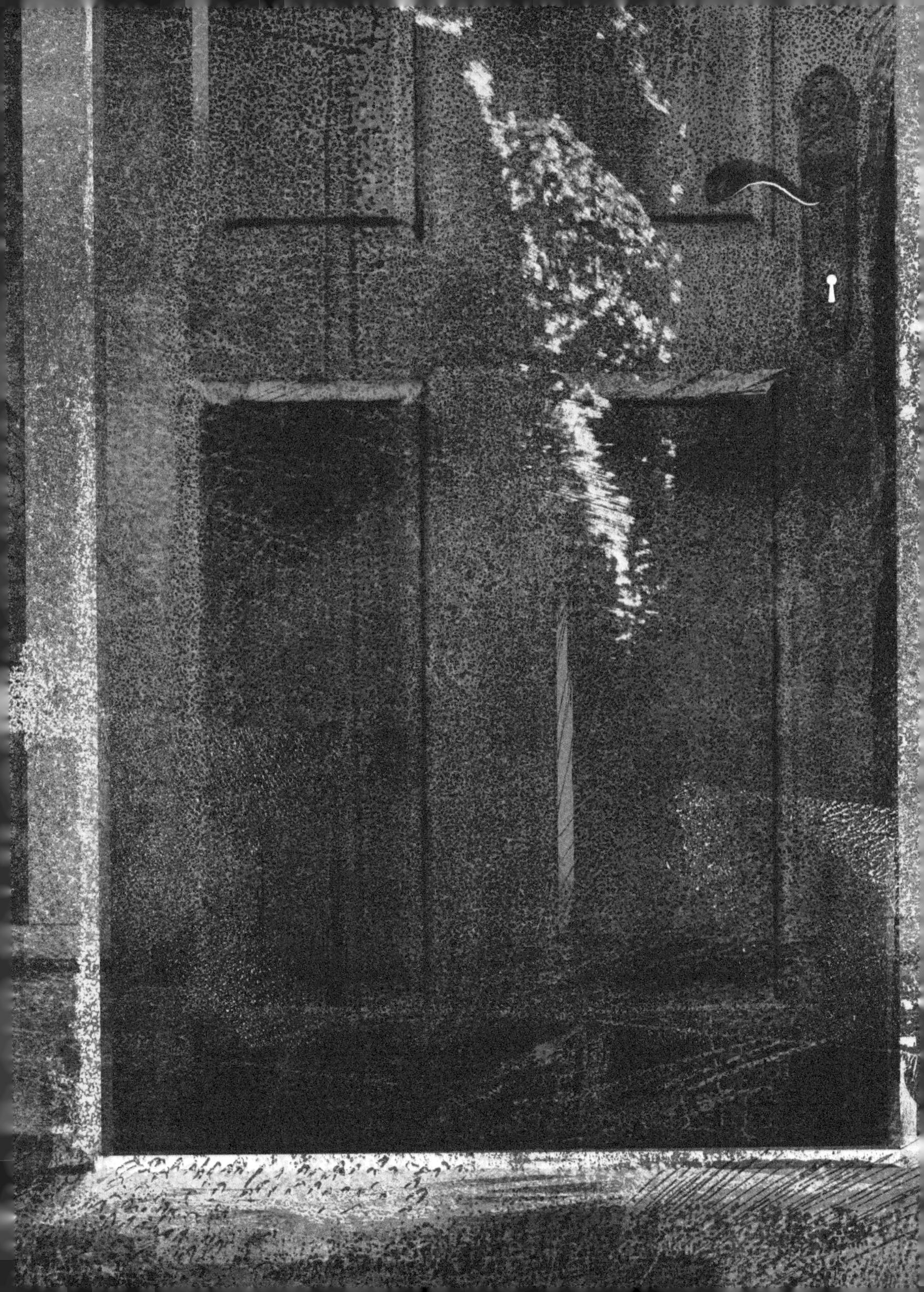

INVISÍVEL

Conor ficou parado no pátio, aguardando.

Tinha visto Lily mais cedo. Estava com umas garotas que ele sabia que não gostavam de verdade dela, assim como Lily também não gostava de verdade das garotas, mas lá estava ela, quieta, enquanto as outras conversavam. Conor se pegou esperando Lily olhar para ele, mas isso não aconteceu.

Quase como se ela não pudesse mais vê-lo.

Continuou sozinho, apoiado numa parede longe de todos enquanto gritavam e gargalhavam e olhavam seus telefones como se não existisse nada de errado no mundo, como se nada de ruim no universo inteiro pudesse acontecer.

Daí, Conor os viu. Harry e Sully e Anton, atravessando o pátio em diagonal e indo em sua direção, os olhos de Harry fixos em Conor, frios e alertas, os outros dois parecendo felizes por antecipação.

Lá vinham eles.

Conor se sentiu fraco de tanto alívio.

—— • ——

Naquela manhã ele só havia dormido tempo suficiente para ter o pesadelo, como se as coisas já não estivessem ruins o bastante. Tinha sentido tudo novamente, com o horror e a queda, com aquela coisa terrível, terrível, que acontecia no final. Acordou gritando. Para um dia que não parecia nada melhor.

Quando finalmente reuniu coragem para descer as escadas, encontrou seu pai na cozinha, preparando o café da manhã.

Nem sinal da avó.

"Vai querer mexidos?", ele perguntou, segurando uma frigideira com ovos cozinhando.

Conor assentiu, mesmo estando sem nenhuma fome, e sentou em uma das cadeiras da mesa. O pai terminou os ovos e os despejou em cima de algumas torradas com manteiga que já havia preparado, dividindo a comida em dois pratos, um para ele, outro para o filho. Sentaram e comeram.

O silêncio ficou tão pesado que Conor começou a ter dificuldades para respirar.

"Que bagunça que você fez", seu pai comentou, por fim.

Conor continuou comendo, pegando os menores pedaços possíveis.

"Ela me ligou hoje cedo. Bem, bem cedo."

Conor deu outra mordida microscópica.

"A situação da sua mãe mudou, Con", disse. Conor olhou para ele no mesmo instante. "Sua avó foi agora para o hospital conversar com os médicos", prosseguiu. "Vou deixar você na escola..."

"*Escola?*", Conor explodiu. "Quero ver minha mãe!"

Mas seu pai já estava sacudindo a cabeça. "Lá não é lugar pra criança agora. Vou deixar você na escola e vou para o hospital, mas na volta pego você e te levo para ver sua mãe." Baixou os olhos para o prato. "Pego você antes se... se precisar."

Conor largou o garfo e a faca. Tinha perdido a vontade de comer. Parecia que nunca mais seria capaz de sentir fome.

"Ei", chamou o pai. "Lembra do que eu falei sobre ser corajoso? Bom, chegou a hora de mostrar sua coragem, filho." Olhou em direção à sala de estar. "Sei o quanto isso está incomodando você." Deu um sorriso triste, que logo desapareceu. "E sua avó também."

"Eu não queria ter feito isso", disse Conor, o coração golpeando dentro do peito. "Não sei o que aconteceu."

"Tá tudo bem", afirmou o pai.

Conor franziu as sobrancelhas. "Tá *tudo bem*?"

"Não se preocupa com isso", confortou o pai, recomeçando a comer. "Coisas piores acontecem em alto-mar."

"O que isso quer dizer?"

"Quer dizer que vamos fingir que nada disso aconteceu", disse seu pai, firme. "Pois há outras coisas com que se preocupar agora."

"Outras coisas tipo minha mãe?"

O pai suspirou. "Termine de comer."

"Você nem vai me botar de castigo?"

"De que adiantaria, Con?", perguntou o pai, sacudindo a cabeça. "De que adiantaria?"

Conor não prestou atenção em nenhuma palavra do que foi dito em aula, mas os professores não o criticaram por estar distraído, e não o chamaram na hora de fazer perguntas à turma. Mesmo com a data de entrega da redação marcada para aquele dia, a sra. Marl não pediu a tarefa a Conor. Ele não tinha escrito uma só linha.

Não que isso parecesse importar.

Os colegas mantinham distância também, como se ele estivesse fedendo. Tentou lembrar se tinha falado com alguém desde que chegara à escola. Achava que não. Isso significava que não havia conversado com *ninguém* além do seu pai naquela manhã.

Como uma coisa dessas podia acontecer?

Mas, finalmente, ali estava Harry. E ao menos isso parecia normal.

"Conor O'Malley", saudou Harry, parando a um passo de distância, enquanto Anton e Sully se posicionaram atrás dele, rindo em silêncio.

Conor desencostou da parede, deixando os braços caírem para os lados, preparando o corpo para receber o soco.

Que não chegou.

Harry apenas ficou parado. Anton e Sully também, seus sorrisos murchando.

"O que você tá esperando?", perguntou Conor.

"É", Sully disse para Harry, "o que você tá esperando?"

"Acerta ele", incentivou Anton.

Harry não se mexeu, os olhos grudados em Conor. A única coisa que Conor podia fazer era encará-lo de volta, até sentir que não existia nada mais no mundo a não ser ele e Harry. Suas mãos suavam. Seu coração batia forte.

Vai logo, pensou, e então se deu conta de que tinha dito aquilo em voz alta. "Vai logo!"

"Pra fazer o quê?", perguntou Harry, calmo. "O que é que você quer que eu faça, O'Malley?"

"Ele quer que você esfregue a cara dele no chão!", exclamou Sully.

"Ele quer que você encha ele de porrada!", falou Anton.

"É isso mesmo?", perguntou Harry, parecendo realmente curioso. "É isso que você quer?"

Conor não disse nada, apenas permaneceu ali, os punhos cerrados.

Esperando.

E então o sinal tocou, soando bem alto, e a sra. Kwan começou a atravessar o pátio, conversando com outra professora, mas de olho nos alunos, especialmente em Conor e em Harry.

"Acho que a gente nunca vai saber", comentou Harry, "o que o O'Malley queria."

Anton e Sully gargalharam, embora fosse óbvio que eles não tinham entendido a piada, e os três começaram a ir para dentro.

Mas Harry continuou observando Conor enquanto se afastava, sem desgrudar os olhos dele.

E deixou Conor sozinho.

Como se o garoto fosse completamente invisível para o resto do mundo.

TEIXOS

"Ei, querido, aí está você", cumprimentou sua mãe, endireitando-se um pouco na cama quando Conor entrou.

Ele notou o quanto ela teve que se esforçar para fazer isso.

"Vou ali fora", sua avó falou, levantando da cadeira e passando por Conor sem olhar para ele.

"E eu vou pegar algo pra comer ali na máquina, parceiro", seu pai disse, parado na porta. "Quer alguma coisa?"

"Quero que você pare de me chamar de *parceiro*", retrucou Conor, sem tirar os olhos da mãe.

Que, por sua vez, riu.

"Já volto", ele disse, e deixou os dois a sós.

"Vem cá", sua mãe chamou, dando um tapinha ao seu lado na cama. Ele se aproximou e se sentou próximo a ela, tomando cuidado para não encostar no tubo que haviam fincado em seu braço, nem no tubo que mandava ar para dentro dela, ou no tubo que ele sabia que ficava grudado em seu peito quando ela recebia, nos tratamentos, aqueles produtos químicos laranjas e brilhantes.

"Como é que está o meu menino?", perguntou, erguendo a mão para acariciar o cabelo do filho. Deu para ver uma mancha amarela no braço dela, no local onde o tubo era colocado, e pequenos hematomas que tingiam a parte de dentro do seu cotovelo.

Mas ela sorria. Um sorriso cansado e exausto, mas, mesmo assim, um sorriso.

"Sei que estou parecendo um trapo", comentou.

"Não, não parece", respondeu Conor.

Ela passeou os dedos pelo cabelo dele. "Acho que consigo perdoar uma mentira simpática dessas."

"Você tá bem?", Conor perguntou e, mesmo sabendo que a pergunta parecia completamente ridícula, ela entendeu o que ele quis dizer.

"Bom, meu amor", ela disse, "um monte de coisas que os médicos tentaram não funcionou como eles queriam. E elas *não* funcionaram bem antes do que eles imaginavam. Não sei se deu para entender."

Conor assentiu.

"Eu também não entendi direito, na verdade", continuou. Ele observou o sorriso dela ficar mais fechado, difícil de se manter. Ela inspirou com força e soltou o ar aos poucos, como se houvesse algo lhe oprimindo dentro do peito.

"As coisas estão indo mais rápido do que eu gostaria, querido", ela falou, e sua voz estava densa, densa de um jeito que fez o estômago de Conor revirar ainda mais. De repente ele ficou feliz por não ter comido nada desde o café da manhã.

"*Mas*", prosseguiu sua mãe, a voz ainda embargada, só que sorrindo novamente. "Eles vão tentar mais uma coisa, um remédio que tem obtido bons resultados."

"Por que eles não tentaram antes?"

"Se lembra dos meus tratamentos? Quando eu perdi o cabelo e fiquei vomitando?"

"Claro que sim."

"Então, esse é o tipo de remédio que você toma quando aqueles tratamentos não funcionam como deveriam", ela disse. "Sempre foi uma possibilidade, mas até agora eles estavam evitando usar." Olhou para baixo. "E eles esperavam não precisar usar isso tão cedo."

"Isso significa que é tarde demais?", perguntou Conor, deixando as palavras escaparem antes de pensar no que estava falando.

"Não, Conor", ela respondeu rapidamente. "Não pensa numa coisa dessas. Não é tarde demais. Nunca é tarde demais."

"Tem certeza?"

Ela sorriu de novo. "Acredito em cada palavra que falo", ela afirmou, a voz um pouco mais forte.

Conor lembrou o que o monstro havia dito. *Acreditar em algo é metade do processo de cura.*

Ele ainda sentia como se não estivesse respirando, mas a tensão começou a minguar aos poucos. Sua mãe notou que ele relaxava, e se pôs a roçar seu braço.

"E olha só que coisa interessante", ela falou, mais alegre. "Sabe aquela árvore que fica no morro detrás da nossa casa?"

Os olhos de Conor se arregalaram.

"Parece difícil de acreditar", sua mãe prosseguiu, sem notar a perturbação de Conor, "mas o remédio é *feito* das folhas de teixos."

"Teixos?", perguntou Conor, a voz baixa.

"Sim", confirmou sua mãe. "Eu tinha lido sobre isso, quando tudo começou." Cobriu a boca ao tossir, e depois tossiu outra vez. "Quer dizer, eu esperava que não precisasse chegar a esse ponto, mas me parecia fantástico a gente poder enxergar um teixo da nossa casa. E que aquela mesma árvore podia ser capaz de me curar."

A mente de Conor estava girando, tão rápido que ele quase ficou tonto.

"A natureza é maravilhosa, não é?", sua mãe continuou. "Lutamos tanto com o meio ambiente, e ele pode muito bem ser a nossa salvação."

"E vai salvar *você*?", Conor perguntou, com muita dificuldade.

Sua mãe sorriu outra vez. "Espero que sim", ela disse. "Acredito que sim."

SERIA POSSÍVEL?

Conor saiu pelo corredor do hospital, os pensamentos a mil por hora. Um remédio extraído de teixos. Um remédio realmente capaz de curar. Um remédio como aquele que o Boticário tinha se recusado a preparar para o pároco. Embora, para ser sincero, Conor ainda não estivesse certo dos motivos pelos quais a casa paroquial tinha sido derrubada.

A não ser...

A não ser que o monstro estivesse aqui por um *motivo*. A não ser que ele tivesse vindo para curar a mãe de Conor.

Ele não se permitia nutrir esperanças. Ele não se permitia sequer *pensar* nisso.

Não.

Não, claro que não. Não podia ser verdade, ele estava sendo idiota. O monstro era um sonho. Só isso, um *sonho*.

Mas as folhas. E as frutinhas. E a muda que cresceu no piso. E a destruição na sala de estar da avó.

De repente Conor se sentiu leve, como se de alguma maneira *flutuasse* no ar.

Seria possível? Seria realmente possível?

Escutou vozes e olhou para o fim do corredor. Seu pai e sua avó estavam brigando.

——— • ———

Não conseguia escutar o que eles diziam, mas sua avó estava espetando o dedo, acusador, na cara do seu pai. "Certo, e o que você quer *eu* faça?", ele falou, alto o suficiente para chamar a atenção de quem passava pelo corredor. Conor não escutou a resposta da avó, mas logo ela saiu tempestuosamente pelo corredor, e mais uma vez não olhou para o menino antes de entrar no quarto da filha.

Seu pai se aproximou em seguida, os ombros caídos.

"O que tá acontecendo?", perguntou Conor.

"Ah, sua avó está furiosa comigo", respondeu o pai, dando um ligeiro sorriso. "Até aí, nenhuma novidade."

"Por quê?"

A expressão de seu pai se transformou. "Tenho más notícias, Conor", anunciou. "Vou ter que voltar pra casa hoje à noite."

"*Hoje?* Por quê?"

"A bebê está doente."

"Ah", falou Conor. "O que ela tem?"

"Acho que nada grave, mas a Stephanie ficou um pouco nervosa e levou a menina pro hospital e agora quer que eu volte correndo."

"E você vai?"

"Vou, mas eu volto", seu pai prometeu. "Sem ser nesse domingo, no outro, então não são nem duas semanas. Me deram mais tempo lá no trabalho pra voltar e ficar com você."

"Duas semanas", disse Conor, quase que para si mesmo. "Tudo bem, até. A mãe tá tomando um remédio novo, que vai fazer ela melhorar. Então, quando você voltar..."

Parou de falar quando notou a expressão no rosto do pai.

"Por que não vamos dar uma volta, filho?", ele convidou.

Havia um pequeno parque do outro lado da rua, com estreitas trilhas por entre as árvores. Enquanto caminhavam em direção a um banco vazio, passaram por vários pacientes que vestiam roupas do hospital, acompanhados por familiares ou sozinhos, fumando um cigarro escondidos. Isso fazia o parque parecer um hospital a céu aberto. Ou um local onde os fantasmas iam descansar um pouco.

"Isso é uma daquelas conversas, né?", disse Conor, quando eles se sentaram. "Todo mundo só pensa em ter *conversas* nos últimos dias."

"Conor", seu pai começou. "O novo remédio que sua mãe está tomando..."

"Vai deixar ela bem", completou Conor, enfático.

Seu pai parou de falar por um instante. "Não, Conor. Provavelmente não vai."

"Vai, vai, sim", insistiu Conor.

"É um último esforço, filho. Sinto muito, mas foi tudo muito rápido."

"Vai curar ela. Eu sei que vai."

"Conor", seu pai continuou. "Sua avó também está furiosa comigo porque ela acha que eu e sua mãe não fomos inteiramente sinceros com você. Sobre o que está acontecendo de verdade."

"E o que ela sabe sobre isso?"

O pai colocou a mão no ombro do filho. "Conor, sua mãe..."

"Ela vai ficar bem", repetiu Conor, empurrando a mão do pai do seu ombro e levantando. "O segredo é o novo remédio. Esse que é o verdadeiro motivo. Estou falando porque eu sei."

Seu pai pareceu confuso. "Motivo do quê?"

"Então legal, você volta pros Estados Unidos", continuou Conor, "volta pra sua família e nós vamos ficar numa boa sem você. Porque o remédio vai funcionar."

"Conor, não..."

"Vai, vai *sim*. Vai funcionar."

"Filho", disse seu pai, se inclinando na direção dele. "As histórias nem sempre têm finais felizes."

Conor emudeceu. Porque elas não tinham, tinham? Isso era uma coisa que o monstro realmente tinha ensinado. Histórias eram animais, animais selvagens, e seguiam por direções que não estavam programadas.

Seu pai balançava a cabeça, como se falasse sozinho. "Sei que é pedir demais de você. É, eu sei que é. É injusto e cruel e não é do jeito que deveria ser."

Conor não respondeu.

"Volto no domingo", seu pai repetiu. "Lembra disso, ok?"

Conor piscou com a claridade do sol. Tinha sido um outubro incrivelmente quente, como se o verão lutasse para não ir embora.

"Quanto tempo você vai ficar?", Conor finalmente perguntou.

"O máximo que eu puder."

"E depois você vai embora."

"Eu preciso. Tenho..."

"Outra família lá", completou Conor.

Seu pai fez menção de abraçá-lo, mas o menino já caminhava em direção ao hospital.

Porque ia funcionar, *ia*, foi por isso que o monstro apareceu. *Tinha* que ser por isso. Se o monstro fosse real, então esse *tinha* que ser o motivo.

Conor olhou para o relógio que ficava na frente do hospital assim que entrou no prédio.

Faltavam oito horas para 12:07.

SEM HISTÓRIA

"Você pode curar a minha mãe?", perguntou Conor.

O teixo é uma árvore de cura, disse o monstro. *É a forma que mais costumo usar quando resolvo aparecer.*

Conor franziu o cenho. "Isso não é uma resposta de verdade."

O monstro apenas arreganhou os dentes.

A avó de Conor o levou de volta para casa depois que sua mãe adormeceu sem comer o jantar. Ainda não tinha falado com ele sobre a destruição da sala de estar. Ela não estava falando com ele sobre *nada*.

"Vou voltar", ela disse, quando ele saiu do carro. "Prepare algo para comer. Sei que pelo menos isso você sabe fazer."

"Você acha que o meu pai já está no aeroporto a esta hora?", perguntou Conor.

A única resposta que sua avó deu foi um suspiro impaciente. Ele fechou a porta e o carro acelerou e se afastou. Dentro de casa o relógio – um barato, de pilha, que ficava na cozinha, o único que tinham agora – avançava rumo à meia-noite sem que ela voltasse ou telefonasse. Conor pensou em ligar, mas ela já tinha gritado com ele uma vez porque o celular tinha acordado sua mãe.

Não fazia diferença. Na verdade, fazia as coisas serem mais fáceis. Ele não precisaria fingir que tinha ido dormir. Ele poderia esperar até o relógio marcar 12:07. Então, foi para o quintal e disse: "Onde você tá?".

O monstro respondeu: *Estou aqui*, e pulou o galpão que era o escritório da sua avó com um simples trançar de pernas.

"Você pode *curar* a minha mãe?", Conor perguntou de novo, com mais firmeza.

O monstro olhou para ele. *Não depende de mim.*

"Como não?", perguntou Conor. "Você destrói casas e salva bruxas. Você disse que cada pedaço seu tem poder de cura, basta que as pessoas usem eles."

Se sua mãe tiver chances, o monstro falou, *então o teixo a ajudará.*

O garoto cruzou os braços. "Isso é um sim?"

Então o monstro fez algo que ainda não tinha feito.

Ele se sentou.

Espalhou todo seu peso sobre o teto do escritório. Conor escutou a madeira gemer e viu o telhado envergar. Seu coração parou na garganta. Se o monstro destruísse o

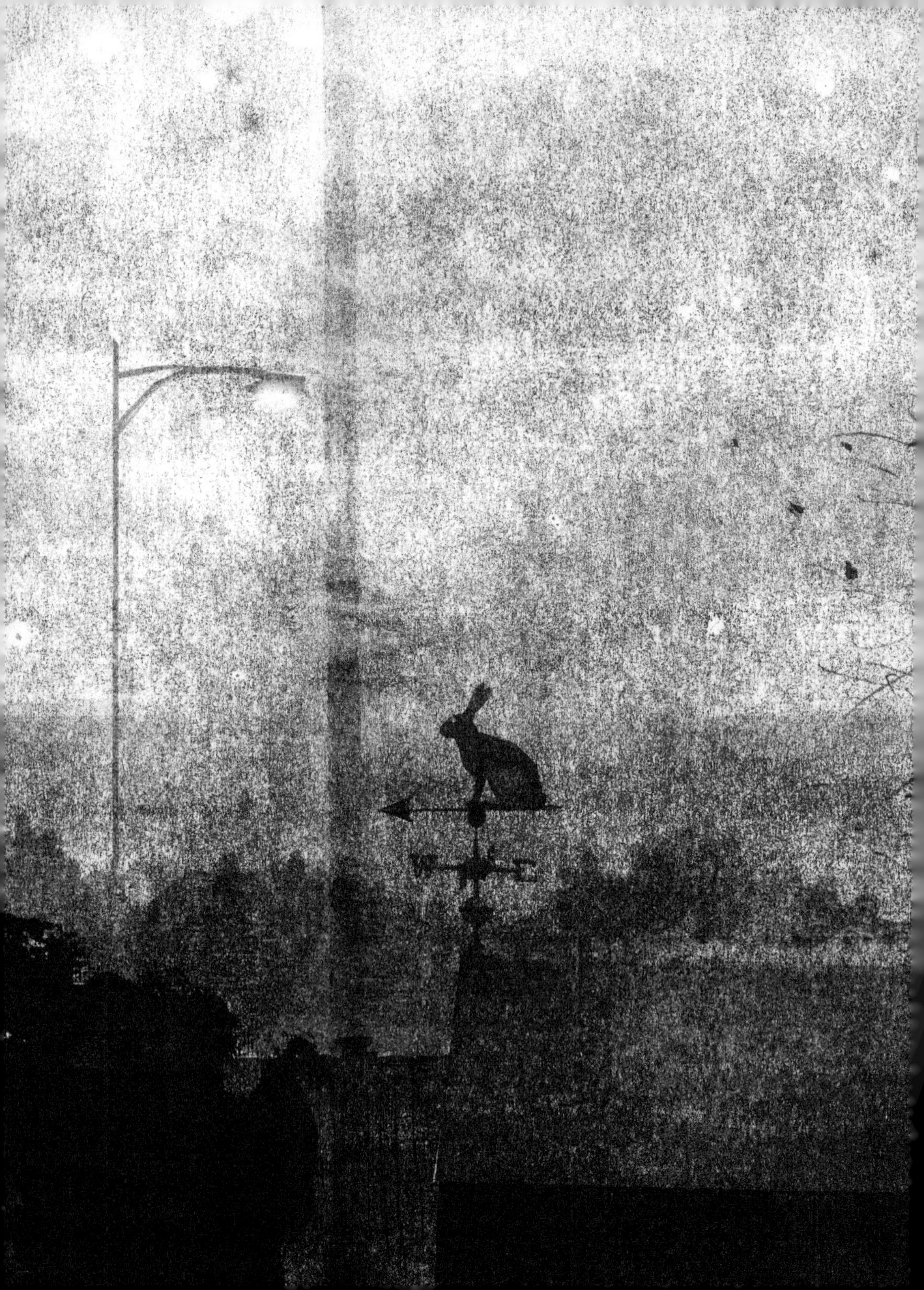

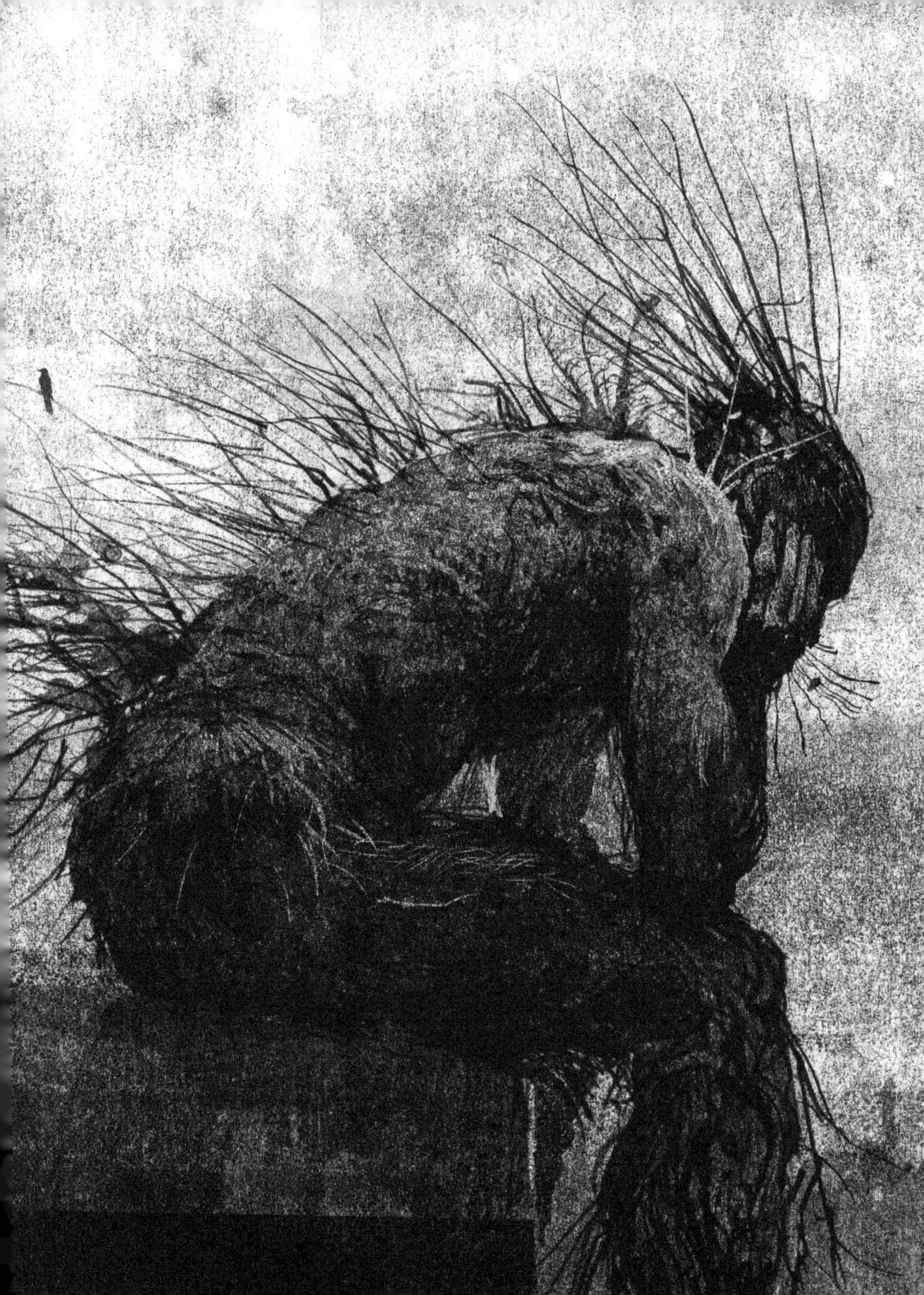

escritório dela também, sabe-se lá o que a avó faria com ele. Provavelmente o colocaria na cadeia. Ou pior, no internato.

Você ainda não sabe por que me chamou, sabe?, questionou o monstro. *Ainda não sabe por que saí de onde estava e vim até você. Não faço esse tipo de coisa todos os dias, Conor O'Malley.*

"Não chamei você", disse Conor. "A não ser que eu estivesse sonhando ou alguma coisa assim. E, mesmo que tenha te chamado, claro que foi pela minha mãe."

Foi mesmo?

"E por que seria?", perguntou Conor, sua voz ficando mais alta. "Com certeza não foi pra escutar histórias idiotas que não fazem nenhum sentido."

Você apagou o que aconteceu na sala de estar da sua avó?

Conor não conseguiu conter um sorriso.

Como eu imaginava, disse o monstro.

"Tô falando sério", insistiu Conor.

*Eu também. Mas não estamos prontos para a terceira e última história. Isto acontecerá em breve. E depois você me contará **sua** história, Conor O'Malley. Você me contará sua verdade.* O monstro se inclinou em direção a ele. *E você sabe do que estou falando.*

A névoa os encobriu repentinamente, e o jardim de sua avó desapareceu. O mundo virou cinza, vazio, e Conor sabia exatamente onde se encontrava e que lugar era aquele.

Ele estava dentro do pesadelo.

Era como se sentia, era com isso que aquilo *parecia*, as bordas do mundo desmoronando e Conor agarrando as mãos dela, sentindo que elas escorregavam das suas, sentindo que ela *caía...*

"Não!", ele gritou. "Não! Isso não!"

A névoa se dissipou e ele estava no jardim da avó, o monstro sentado no teto do escritório dela.

"Esta não é minha verdade", Conor falou, a voz tremendo. "Este é só um pesadelo."

Ainda assim, disse o monstro, levantando, e as vigas do telhado suspiraram de alívio, *isso é o que ocorrerá após a terceira história.*

"Perfeito", disse Conor, "outra história quando há coisas muito mais importantes acontecendo por aqui."

Histórias são importantes, o monstro falou. *Podem ser mais importantes do que qualquer outra coisa. Se carregam a verdade.*

"Escrita da vida", resmungou Conor, azedo.

O monstro pareceu surpreso. *Exatamente*, comentou. Ele se virou para ir embora, mas lançou um último olhar para Conor. *Procure-me em breve.*

"Eu quero saber o que vai acontecer com a minha mãe", disse Conor.

O monstro parou. *Você ainda não sabe?*

"Você disse que era uma árvore de cura", Conor repetiu. "Bom, eu preciso que você *cure*!"

Assim o farei, disse o monstro.

E num sopro de vento, desapareceu.

NÃO ENXERGO MAIS VOCÊ

"Quero ir pro hospital também", Conor falou para sua avó, na manhã seguinte, no carro. "Não quero ir pra escola hoje."

Sua avó continuou dirigindo. Parecia provável que ela nunca mais voltasse a falar com ele.

"Como ela tava ontem de noite?", Conor perguntou. Tinha ficado um bom tempo acordado depois de o monstro ir embora, mas, ainda assim, caíra no sono antes de sua avó chegar.

"Como sempre", ela falou sucintamente, os olhos fixos no caminho.

"O remédio novo tá fazendo efeito?"

Ela demorou tanto para responder que Conor achou que nem falaria nada e estava quase perguntando de novo quando ela disse, "É cedo demais para saber".

Conor esperou passarem por mais algumas ruas e então perguntou: "Quando minha mãe volta pra casa?".

Essa sua avó não respondeu, embora faltasse meia hora para chegarem à escola.

Não havia nenhuma chance de prestar atenção nas aulas. Não que, mais uma vez, fizesse diferença, pois nenhum dos professores lhe fez perguntas. Nem seus colegas. Quando chegou a hora do almoço, ele tinha passado outra manhã sem falar com ninguém.

Sentou sozinho no canto mais afastado do refeitório, a comida intocada na sua frente. O lugar estava incrivelmente barulhento, o zumbido dos colegas e todos os seus berros e gritos e brigas e risadas. Conor fazia o possível para ignorar tudo isso.

O monstro a curaria. Claro que sim. Por qual *outro* motivo ele teria vindo? Não havia outra explicação. Ele tinha aparecido como uma árvore de cura, a mesma árvore usada na fabricação do remédio da sua mãe, então por que mais seria?

Por favor, Conor pediu enquanto encarava sua bandeja cheia de comida. *Por favor*.

Duas mãos espalmadas bateram com força nos dois lados da bandeja, derrubando o suco de laranja no colo de Conor.

Ele pulou, mas não rápido o bastante. Sua calça já estava ensopada e o suco escorria por suas pernas.

"O'Malley mijou na calça!", já gritava Sully, enquanto Anton morria de rir ao seu lado.

"Ei!", provocou Anton, chicoteando um pouco do líquido da poça sobre a mesa em Conor. "Você não bebeu tudo!"

Harry estava entre Anton e Sully, como sempre, os braços cruzados, o encarando.

Conor o encarou de volta.

Os dois ficaram tanto tempo imóveis que Anton e Sully se calaram. Eles começaram a ficar desconfortáveis com aquela competição de olhares, se perguntando o que Harry faria em seguida.

Conor também se perguntava o mesmo.

"Acho que entendi você, O'Malley", Harry finalmente falou. "Acho que sei o que você tá pedindo."

"Vai levar porrada!", chiou Sully, rindo. Ele e Anton gargalharam, simulando socos.

Conor não conseguia enxergar nenhum professor. Harry tinha escolhido o momento ideal para perturbá-lo.

Conor só contava consigo mesmo.

Harry deu um passo à frente, calmo.

"Aqui está o golpe mais pesado de todos, O'Malley", anunciou. "Aqui está a pior coisa que sou capaz de fazer pra você."

Ele estendeu a mão, como se esperasse um aperto.

Ele estava *pedindo* um aperto.

Conor respondeu quase que automaticamente, oferecendo sua mão e cumprimentando Harry antes mesmo de pensar no que fazia. Apertaram as mãos como dois empresários no final de uma reunião.

"Falou, O'Malley", disse Harry, os olhos cravados nos de Conor. "Não enxergo mais você."

Então soltou a mão de Conor, virou e se afastou. Anton e Sully pareceram ainda mais confusos, mas depois de um instante, também se afastaram.

Nenhum deles virou para olhar Conor.

Havia um enorme relógio digital na parede do refeitório, comprado nos anos setenta, quando ainda era a última novidade em tecnologia, e que até hoje não tinha sido substituído, apesar de ser mais velho do que a mãe de Conor. Ele assistia Harry se afastar, se afastar sem olhar para trás, se afastar sem fazer *nada*, até o momento em que o garoto passou pelo relógio.

O horário do almoço começava às 11:55 e terminava 12:25.

O relógio marcava 12:06.

As palavras de Harry ecoaram na mente de Conor.

"Não enxergo mais você."

Harry continuou se afastando, continuou cumprindo a promessa.

"Não enxergo mais você."

O relógio mudou para 12:07.

Chegou a hora da terceira história, anunciou o monstro, atrás dele.

A TERCEIRA HISTÓRIA

Era uma vez um homem invisível, prosseguiu o monstro, apesar de Conor não tirar os olhos de Harry, *que cansou de não ser notado.*

Conor começou a andar.

Atrás de Harry.

*Não é como se ele fosse **realmente** invisível,* falou o monstro, seguindo Conor, afundando o piso por onde passava. *As pessoas é que tinham se acostumado a não enxergá-lo.*

"Ei!", chamou Conor. Harry não se virou. Anton e Sully também não, ainda que estivessem rindo quando Conor acelerou o passo.

E se ninguém o enxerga, continuou o monstro, andando mais rápido também, *será que você realmente existe?*

"EI!", Conor gritou.

O refeitório mergulhou no mais completo silêncio, enquanto Conor e o monstro andavam rápido atrás de Harry.

Harry ainda não tinha se virado.

Conor o alcançou e o puxou pelo ombro, fazendo com que ele girasse. Harry fingiu não entender o que estava acontecendo, olhando bravo para Sully, como se fosse ele que tivesse feito aquilo. "Não enche meu saco", falou, e se virou de novo.

Dando as costas para Conor.

E então, certo dia, o homem invisível decidiu, falou o monstro, sua voz ressoando nos ouvidos de Conor, **obrigarei** *os outros a me enxergarem.*

"Como?", perguntou Conor, a respiração pesada, sem se virar para ver o monstro que estava parado ali, sem notar a reação do resto da escola ao ver um ser gigantesco entre eles, embora estivesse consciente dos murmúrios exaltados e da estranha expectativa no ar. "Como foi que o homem conseguiu?"

Conor pôde sentir a proximidade do monstro, sentir que a criatura se ajoelhava, sentir que aproximava o rosto de seu ouvido para sussurrar, para contar o resto da história.

Ele chamou, disse, *um* **monstro**.

E estendeu sua gigantesca e monstruosa mão através de Conor, arremessando Harry para longe.

As bandejas de metal caíram com estrépito e as pessoas gritaram quando Harry tombou sobre elas.

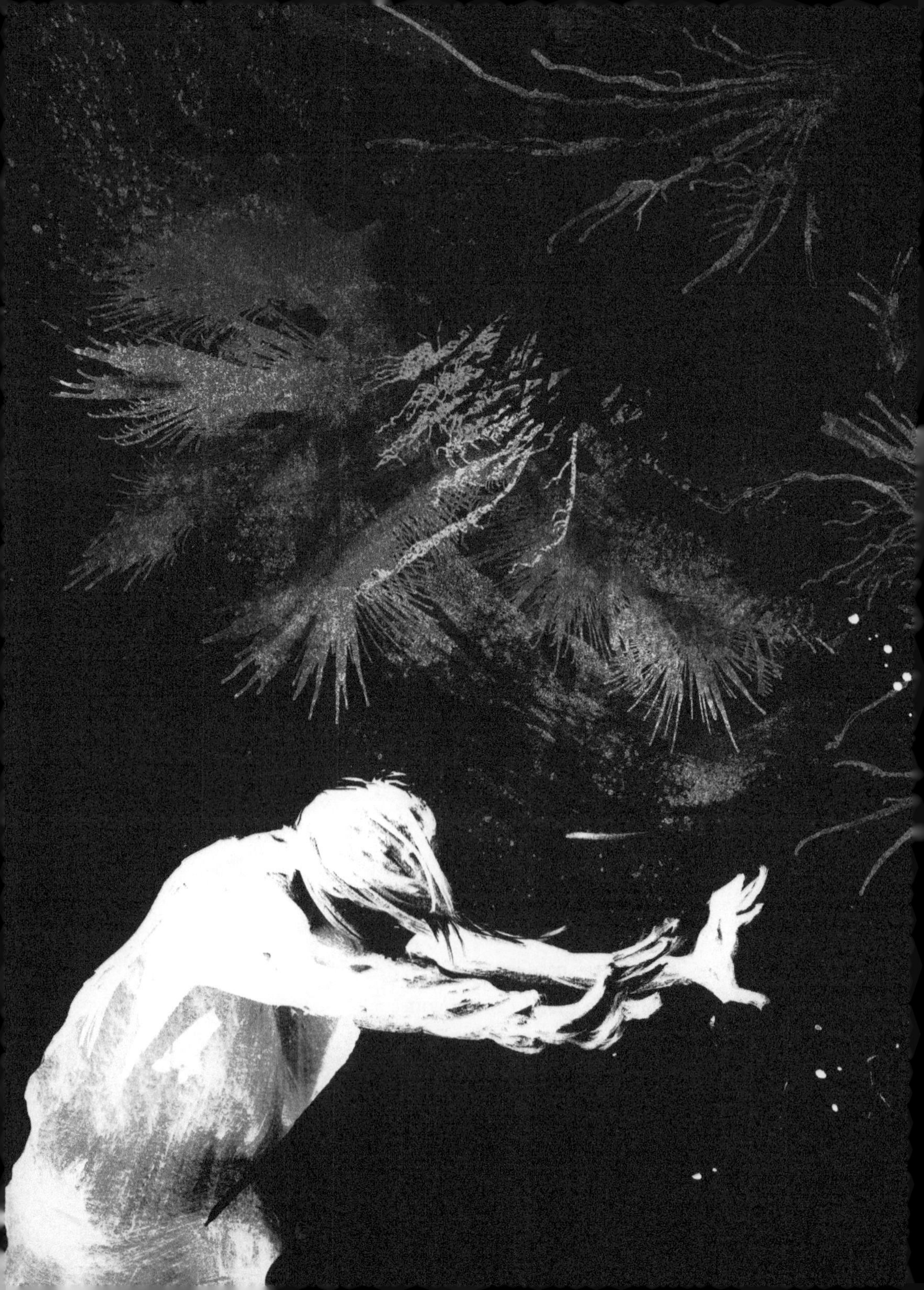

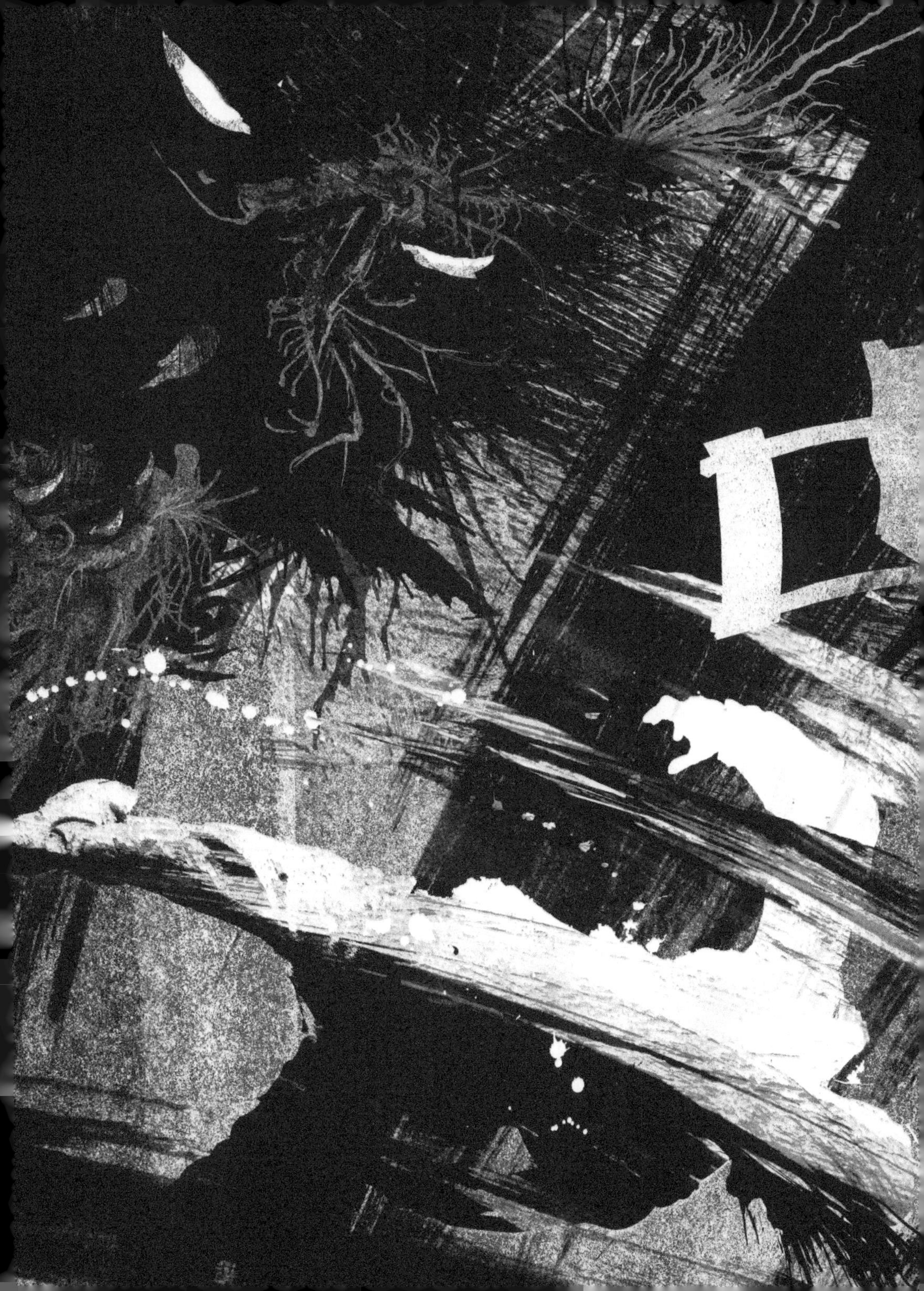

Anton e Sully olharam aterrorizados, primeiro para Harry, depois para Conor.

Suas expressões mudaram por completo quando o enxergaram. Conor deu mais um passo na direção deles, sentindo o monstro o escoltando.

Anton e Sully saíram correndo.

"Que brincadeira é essa, O'Malley?", Harry disse, colocando a mão na cabeça, no lugar que tinha batido ao cair. Abaixou a mão e algumas pessoas gritaram ao ver sangue.

Conor continuou avançando, as pessoas se amontoando para sair do seu caminho. O monstro estava ao seu lado, o acompanhava a cada passo.

"Você não me enxerga?", Conor berrou, se aproximando. "Não me *enxerga*?"

"Não, O'Malley", gritou Harry ao se endireitar. "Não, não te enxergo. Ninguém aqui vê você!"

Conor parou e, lentamente, olhou ao redor. Todos olhavam para eles, esperando para ver o que aconteceria.

Mas quando Conor os encarava, todos desviavam, como se fosse muito vergonhoso ou doloroso fitá-lo. Apenas Lily sustentou o olhar por mais de um segundo, seu rosto coberto de ansiedade e mágoa.

"Você acha que isso me assusta, O'Malley?", disse Harry, apontando para o sangue na testa. "Você acha que algum dia vou ter medo de você?"

Conor não respondeu, apenas seguiu avançando na direção dele.

Harry deu um passo para trás.

"Conor O'Malley", disse, sua voz ganhando um tom maldoso. "O garotinho de quem todo mundo sente pena por causa da mamãe. Que passeia pela escola se achando muito diferente, como se ninguém soubesse o quanto ele tá *sofrendo*."

Conor continuou andando. Estava quase lá.

"Conor O'Malley quer ser castigado", Harry falou, indo para trás, os olhos fixos em Conor. "Conor O'Malley *precisa* ser castigado. Por que será, Conor O'Malley? Que segredos você esconde que são tão terríveis?"

"*Cala a boca*", falou Conor.

E escutou o monstro falar junto com ele.

Harry deu outro passo para trás, até encostar em uma janela. Parecia que toda a escola tinha prendido a respiração, esperando para ver o que Conor faria. Pôde escutar um ou dois professores chamando os alunos, finalmente percebendo que algo diferente iria acontecer.

"Mas você sabe o que *eu* vejo quando te olho, O'Malley?", perguntou Harry.

O corpo de Conor tensionou.

Harry se inclinou para a frente, os olhos soltando faíscas. "Eu não vejo *nada*", disse.

Sem virar, Conor fez uma pergunta ao monstro.

"O que você fez para ajudar o homem invisível?"

E escutou a voz do monstro novamente, como se ela estivesse dentro da sua cabeça.

*Eu **obriguei** que todos o vissem.*

O corpo de Conor tensionou ainda mais.

E então o monstro lançou-se à frente para fazer Harry enxergar.

CASTIGO

"Eu não sei nem o que dizer." A diretora soltou um suspiro e sacudiu a cabeça. "O que eu poderia dizer para você, Conor?"

O garoto estava com os olhos fixos no carpete, que tinha a cor de vinho derramado. A sra. Kwan também estava lá, posicionada atrás dele, como se ele pudesse tentar fugir. Ele sentiu, mais do que viu, a diretora se inclinar para a frente. Ela era mais velha que a sra. Kwan. E, de alguma maneira, duas vezes mais assustadora.

"Você mandou o garoto para o *hospital*, Conor", ela falou. "Quebrou o braço, o nariz, e aposto que os dentes dele nunca serão tão belos de novo. Os pais de Harry estão ameaçando processar a escola e dar queixa contra *você*."

Conor olhou para ela ao ouvir esta parte.

"Estavam meio histéricos, Conor", comentou a sra. Kwan. "E eles têm razão. Ainda assim, expliquei a situação. Contei que você estava sendo vítima do bullying dele há tempos e que o seu caso era... especial."

Conor estremeceu ao escutar aquela palavra.

"Foi a parte do bullying que mais os dissuadiu de qualquer coisa", a sra. Kwan falou, com escárnio na voz. "Parece que hoje em dia as acusações de bullying não pegam bem quando se tenta uma vaga nas universidades."

"*Mas isso não importa!*", exclamou a diretora, tão alto que fez Conor e a sra. Kwan pularem. "Não consigo nem entender o que foi que aconteceu." Ela olhou para os papéis espalhados na mesa, relatos de professores e alunos, Conor imaginou. "Nem ao menos sei como apenas um garoto conseguiu causar tanto estrago sozinho."

Conor *sentiu* que era o monstro que estava espancando Harry, sentiu nas próprias mãos. Quando o monstro agarrou a camiseta de Harry, Conor sentiu o pano esgarçar. Quando o monstro aplicou um golpe, Conor sentiu os próprios dedos estalarem com a força do soco. Quando o monstro torceu o braço de Harry, Conor sentiu os músculos do menino resistindo ao puxão.

Resistindo, mas não vencendo.

Afinal, como um garoto poderia enfrentar um monstro?

Lembrou da gritaria e da correria. Lembrou dos alunos correndo para chamar os professores. Lembrou do círculo ao redor dele se tornando mais e mais largo quando o monstro contou tudo o que ele havia feito pelo homem invisível.

Invisível nunca mais, o monstro repetia enquanto espancava Harry. *Invisível nunca mais.*

Chegou uma hora em que Harry nem tentava mais revidar, quando os golpes do monstro se tornaram tantos e tão fortes e tão rápidos, que ele implorou para o monstro parar.

Invisível nunca mais, falou, finalmente parando. Os galhos dos punhos estavam tão condensados que não sobrava espaço entre eles.

O monstro virou para Conor.

Mas existem coisas piores do que ser invisível, disse.

E desapareceu, deixando Conor sozinho ao lado de Harry, que estava ensanguentado e tremendo.

Todos no refeitório observavam Conor. Todos podiam enxergá-lo, todos os olhos em sua direção. Um silêncio se instalou no local, muito silêncio para muitas crianças, e por um tempo, antes de os professores chegarem – onde eles estavam? Será que o monstro tinha conseguido ocultar a cena? Ou tinha sido tudo muito rápido? –, podia-se até mesmo escutar o barulho do vento entrando pela janela aberta, um vento que espalhava folhas pequenas e pontiagudas pelo chão.

Então, Conor sentiu mãos de adultos o arrastando.

"Você tem algo a dizer em sua defesa?", perguntou a diretora.

Conor deu de ombros.

"Isso não é o bastante", ela falou. "Ele ficou *muito* machucado."

"Não fui eu", Conor murmurou.

"Pode repetir?", a diretora pediu, ríspida.

"Não fui eu", Conor falou, mais alto. "Foi o monstro que fez isso."

"O monstro."

"Eu nem encostei no Harry."

A diretora apoiou os cotovelos na mesa e pousou o rosto nas mãos entrelaçadas. Olhou rapidamente para a sra. Kwan.

"O refeitório inteiro viu você bater no Harry, Conor", afirmou a sra. Kwan. "Eles viram você derrubar o garoto. Viram você jogá-lo em cima da mesa. Viram você bater a cabeça dele no chão." A sra. Kwan se aproximou. "Escutaram você gritar algo sobre ser visto. Sobre não ser mais invisível."

Conor estalou lentamente as mãos. Elas estavam doloridas de novo. Doíam como quando ele quebrou toda a sala de estar da casa da avó.

"Entendo o quanto você deve estar triste", continuou a sra. Kwan, sua voz ganhando um tom mais gentil. "Quer dizer, nem conseguimos entrar em contato com nenhum familiar seu até agora."

"Meu pai voltou pros Estados Unidos", explicou Conor. "E minha avó deixa o telefone no silencioso pra não acordar minha mãe." Coçou o dorso da mão. "Minha avó provavelmente vai ligar de volta para a escola."

A diretora afundou na cadeira. "As regras da escola exigem suspensão imediata do aluno", disse.

Conor sentiu seu estômago despencar e o corpo todo pender com o peso de uma tonelada.

Foi quando percebeu que seu corpo pendia porque o peso tinha sido *retirado*.

A compreensão o inundou, o alívio também, de um jeito tão poderoso que quase o fez chorar, ali mesmo na sala da diretora.

Ele seria punido. Finalmente. Tudo faria sentido outra vez. Ela o suspenderia.

O castigo estava a caminho.

Graças a Deus. Graças a *Deus*...

"Mas como eu poderia fazer uma coisa dessas?", disse a diretora.

Conor congelou.

"Como eu poderia fazer algo assim e ainda me considerar uma professora?" Ela franziu o rosto. "Com tudo que sabemos sobre o Harry." Balançou a cabeça devagar. "Ainda vamos conversar sobre isso, Conor O'Malley. *Sem falta*, acredite em mim." Começou a recolher os papéis espalhados pela mesa. "Mas não hoje." Lançou um último olhar ao garoto. "Você tem coisas mais importantes com que se preocupar."

Conor não entendeu de imediato que a discussão tinha acabado. Que era aquilo. Só aquilo.

"Você não vai me suspender?", perguntou.

A diretora esboçou um rápido sorriso, quase amável, e falou quase a mesma coisa que seu pai. "De que adiantaria?"

——— • ———

A sra. Kwan o acompanhou de volta até a sala de aula. No caminho, cruzaram com dois alunos que se espremeram contra a parede para deixá-lo passar.

A sala toda caiu em silêncio quando ele abriu a porta e ninguém, nem mesmo a professora, disse uma só palavra enquanto ele se dirigia até sua cadeira. Lily, na mesa de trás, pareceu que ia falar algo. Mas ficou quieta.

Ninguém conversou com ele o resto do dia.

Existem coisas piores do que ser invisível, o monstro tinha dito, e ele estava certo.

Conor não era mais invisível. Todos o viam agora.

Mas ele estava mais sozinho do que nunca.

UM BILHETE

Alguns dias se passaram. E mais alguns. Difícil dizer exatamente quantos. Todos pareciam ser o mesmo longo e cinzento dia para Conor. Ele levantava pela manhã e sua avó não falava com ele, nem mesmo sobre o telefonema da diretora. Chegava à escola e lá ninguém lhe dirigia a palavra também. Visitava a mãe no hospital e ela estava cansada demais para conversar. Seu pai telefonava e ele não tinha nada para dizer.

O monstro tampouco dava sinais de vida, não aparecia desde o incidente com Harry, ainda que tivesse chegado a vez de Conor contar sua história. Todas as noites, o garoto esperava. Todas as noites, o monstro nunca aparecia. Talvez porque estivesse ciente de que Conor não sabia qual história contar. Ou talvez porque Conor *soubesse*, mas se recusasse.

Cedo ou tarde Conor adormecia e o pesadelo

ressurgia. Agora aparecia sempre que ele pegava no sono, e ainda pior do que antes, como se tal coisa fosse possível. Ele acordava gritando três ou quatro vezes por noite, e uma vez berrou tão alto que sua avó bateu na porta para perguntar se estava tudo bem.

Mas não entrou no quarto.

Chegava o fim de semana, e todo ele era passado no hospital porque o remédio novo ainda não tinha começado a fazer efeito e sua mãe tinha contraído uma infecção pulmonar. A dor que sentia estava pior também, então ela passava a maior do tempo dormindo ou falando coisas sem sentido por causa dos analgésicos fortes que tinha que tomar. A avó de Conor pedia que ele saísse nesses momentos, e ele se acostumou tanto a perambular pelo hospital que uma vez ajudou uma senhora a chegar até a sala de raios X.

Lily e a mãe dela foram visitar a mãe de Conor, mas ele fez questão de passar o tempo todo que elas ficaram lá vendo revistas na loja de conveniências.

E então, sabe-se lá como, era dia de ir à escola de novo. Por mais incrível que pudesse parecer, o tempo continuava passando para o resto do mundo.

O resto do mundo não estava esperando.

A sra. Marl estava devolvendo a tarefa da *Escrita da vida*. Para todos os que *tinham* uma vida, pelo menos. Conor permaneceu sentado na sua carteira, a mão no queixo, olhando o relógio. Faltavam duas horas e meia até 12:07. Não que importasse. Começava a achar que o monstro não voltaria mais.

Uma pessoa a menos para conversar, portanto.

"Ei", ele escutou alguém próximo sussurrar. Querendo zoar com ele, com certeza. Olhem o Conor O'Malley, sentado ali como um idiota. Que aberração.

"*Ei*", ouviu de novo, desta vez com mais ênfase.

Notou, então, que alguém tentava chamar *sua atenção*.

Lily estava sentada na fila ao lado, como sempre se sentara ao longo dos anos que estudaram na mesma classe. Ela continuava olhando para a sra. Marl, mas da sua mão, como quem não quer nada, pendia um bilhete.

Um bilhete para Conor.

"*Pega!*", ela sussurrou pelo canto da boca, balançando um pouco o papel.

Conor conferiu se a sra. Marl tinha percebido alguma coisa, mas ela estava ocupada demais expressando sua decepção com o texto de Sully, cuja vida se parecia muito com a de certo super-herói que possuía a habilidade das aranhas. Conor estendeu a mão e pegou o bilhete.

Fora dobrado umas cem vezes e abri-lo tinha sido tão difícil como desfazer um nó. Lançou um olhar irritado para Lily, mas ela fingia estar acompanhando a aula.

Conor desdobrou o papel sobre a mesa e leu. Apesar de todas as dobraduras, havia apenas quatro linhas escritas.

Quatro linhas que silenciaram o mundo ao redor.

— • —

Me desculpa por ter contado pra todo mundo sobre a sua mãe, dizia a primeira.

Sinto falta de ser sua amiga, dizia a segunda.

Tá tudo bem?, dizia a terceira.

Eu vejo você, dizia a quarta, a palavra *eu* sublinhada milhares de vezes.

Ele leu o bilhete de novo. E de novo.

Virou o rosto para Lily, que estava ocupada recebendo todos os tipos de elogio da sra. Marl, e percebeu que ela tinha ficado vermelha como um tomate e não só por causa do que a professora estava dizendo.

A sra. Marl continuou andando, ignorando Conor discretamente.

Quando a professora passou por eles, Lily fitou Conor nos olhos.

Ela tinha razão. De fato, ela o *enxergava*.

O garoto precisou engolir em seco antes de falar.

"Lily...", começou a dizer, mas a porta da sala de aula se abriu e entrou a secretária da escola, acenando para a sra. Marl e sussurrando algo em seu ouvido.

As duas se viraram para Conor.

CEM ANOS

A avó de Conor parou do lado de fora do quarto.

"Você não vai entrar?", ele perguntou.

Ela sacudiu a cabeça. "Estou na sala de espera", respondeu, e o deixou sozinho.

Ele estava com uma sensação ruim no estômago, com medo do que poderia encontrar lá dentro. Nunca tinha sido chamado no meio de uma aula antes, nem mesmo quando sua mãe estivera no hospital na Páscoa passada.

Dúvidas iam de um lado para o outro na sua cabeça.

Dúvidas que ele preferia ignorar.

Abriu a porta, temendo o pior.

Sua mãe, no entanto, estava acordada, o encosto da cama levantado para que ela ficasse sentada. E mais, ela sorria, e, por um segundo, o coração de Conor rodopiou. O tratamento devia ter funcionado. O teixo tinha curado sua mãe. O monstro tinha conseguido...

Então ele percebeu que o sorriso dela não combinava com seu olhar. Estava feliz em vê-lo, mas também estava assustada. E triste. E mais cansada do que Conor jamais a tinha visto, o que era impressionante.

E eles não o teriam tirado da aula só para contar que sua mãe se sentia um pouco melhor.

"Oi, filho", ela cumprimentou, e quando falou essas palavras, seus olhos se encheram de lágrimas e ele pôde sentir sua voz quebrando.

Conor sentiu a raiva dominar seu corpo pouco a pouco.

"Vem cá", pediu, dando tapinhas ao seu lado.

Ele não sentou ali, no entanto, se jogando em uma cadeira próxima à cama.

"Como você tá, meu querido?", perguntou, a voz tênue, a respiração ainda mais entrecortada do que no dia anterior. Parecia haver mais tubos invadindo seu corpo, provendo-lhe remédios e ar e quem sabe o que mais? Não estava usando nenhum de seus lenços e sua careca estava reluzente e branca na luz fluorescente. Conor sentiu um impulso irresistível de encontrar algo para cobri-la, para protegê-la, antes que alguém notasse sua vulnerabilidade.

"O que tá acontecendo?", ele perguntou. "Por que a vó me tirou da aula pra vir aqui?"

"Eu queria *ver* você", ela disse, "e do jeito que a morfina tem me mandado pro espaço sideral, não sabia se mais tarde teria chance."

Conor cruzou os braços, apertando-os com força contra o corpo. "Você fica acordada às vezes", retrucou. "Podia me ver hoje de noite."

Ele sabia que fazia uma pergunta. E tinha certeza de que ela sabia disso também.

Então, quando ela tornou a falar, ele entendeu que oferecia uma resposta.

"Eu queria ver você *agora*, Conor", ela afirmou, e de novo sua voz ficou embargada e seus olhos cheios d'água.

"Essa é a tal da conversa, não é?", falou Conor, com muito mais rispidez do que planejava. "Essa é..."

Não terminou a frase.

"Olha pra mim, filho", sua mãe pediu, pois ele estava olhando para o chão. Lentamente, ele levantou o rosto. Ela exibia o seu sorriso mais cansado, e ele notou o quanto ela estava afundada nos travesseiros, como se não tivesse forças nem para erguer a cabeça. Percebeu que tinham levantado a cama porque ela não conseguiria olhar para ele de outra forma.

Ela respirou fundo antes de falar, o que lhe deu um terrível e profundo acesso de tosse. Demorou um bom tempo até conseguir articular alguma palavra.

"Falei com o médico hoje de manhã", ela disse, a voz débil. "O novo remédio não está funcionando."

"O do teixo?"

"Esse."

Conor franziu o rosto. "Como assim não está funcionando?"

Sua mãe engoliu em seco. "As coisas mudaram rápido demais. Era uma última esperança. E agora surgiu essa infecção..."

"Mas como pode *não funcionar*?", Conor repetiu, como se estivesse perguntando para outra pessoa.

"Eu sei", ela continuou, o sorriso triste ainda em seus lábios. "Olhando praquele teixo todos os dias, eu sentia que tinha um amigo pra me ajudar se as coisas piorassem."

Conor permanecia de braços cruzados. "Mas *não* ajudou."

Sua mãe sacudiu de leve a cabeça. Tinha uma expressão preocupada no rosto, e Conor compreendeu que estava preocupada com *ele*.

"E agora?", Conor perguntou. "Qual é o próximo tratamento?"

Ela não respondeu. O que já era uma resposta.

Conor fez questão de falar em voz alta. "Não tem mais tratamentos."

"Sinto muito, filho", falou, as lágrimas brotando dos olhos, apesar de ela continuar sorrindo. "Nunca senti tanta pena por alguma coisa na vida."

Conor olhou para o chão novamente. Sentia como se não conseguisse respirar, como se o pesadelo estivesse sugando seu ar. "Você disse que faria efeito", falou, sua voz falhando.

"Eu sei."

"Você *disse*. Você *acreditou* nisso."

"Eu sei."

"Você mentiu", falou Conor, erguendo o rosto. "Você mentiu o tempo todo."

"Eu *realmente* achei que ia funcionar", sua mãe falou. "Foi isso que provavelmente me prendeu aqui por tanto tempo, Conor. Acreditei nisso para que *você* também acreditasse."

Sua mãe tentou pegar na sua mão, mas ele a tirou.

"Você mentiu", repetiu.

"Acho que, no fundo, você sempre soube", ela continuou. "Não soube?"

Conor não respondeu.

"Entendo que você esteja irritado, querido", ela disse. "Entendo mesmo." Deu um leve sorriso. "Também estou bastante brava, pra falar a verdade. Mas quero que você saiba uma coisa, Conor, quero que você escute. Tá me ouvindo?"

Ela estendeu o braço de novo. Depois de um segundo ele deixou que ela pegasse na sua mão, mas seu aperto era muito, *muito* fraco.

"Você tem todo direito de estar irritado", ela falou. "Não deixe ninguém dizer o contrário. Nem sua avó, nem seu pai, ninguém. E, se você precisa quebrar coisas, então vai fundo, quebre tudo, com vontade."

Ele não conseguia encará-la. De *jeito nenhum*.

"E se, um dia", ela falou, chorando de verdade agora, "você olhar pra trás e se sentir mal por ter ficado furioso, se você se sentir mal por ter se irritado a ponto de nem conseguir falar comigo, eu quero que você saiba, Conor, quero que você saiba que estava *tudo bem*. Estava tudo bem. Que eu *sabia*. Eu *sei*, certo? Eu sei de tudo que você quer me contar sem que você precise falar as coisas em voz alta. Tá bom?"

Ele ainda não conseguia olhar para ela. Não era capaz de levantar a cabeça, que parecia pesar uma tonelada. Estava dilacerado por dentro, como se tivesse sido rasgado em mil pedaços.

Mesmo assim, concordou.

――― • ―――

Escutou sua mãe dar um longo e ofegante suspiro, no qual detectou alívio, mas também cansaço. "Sinto muito, filho", falou. "Vou precisar de mais analgésicos."

Ele soltou sua mão. Ela apertou o botão na máquina que dosava analgésicos tão fortes que a faziam adormecer logo após recebê-los. Apertou novamente a mão do filho.

"Queria ter cem anos", disse, baixinho. "Cem anos que pudesse dar a você."

Conor não respondeu. Alguns segundos depois, o remédio fez com que ela adormecesse, mas não importava.

Eles tinham tido a conversa.

Não havia nada mais para se dizer.

"Conor?", sua avó chamou, colocando a cabeça pela porta entreaberta algum tempo depois, ele não sabia dizer exatamente quanto.

"Quero ir pra casa", ele sussurrou.

"Conor..."

"Pra *minha* casa", falou, erguendo o rosto, os olhos vermelhos carregados de dor, de vergonha, de *raiva*. "A casa com o teixo."

VOCÊ SERVE PRA QUÊ?

"Vou voltar ao hospital, Conor", anunciou sua avó, estacionando em frente à casa do garoto. "Não gosto de deixá-la nesse estado. O que você precisa daqui que é tão importante?"

"Preciso fazer uma coisa", Conor falou, olhando para a casa onde passara sua vida inteira. Parecia abandonada e desconhecida, embora não fizesse tanto tempo que tinha saído de lá.

Percebeu que provavelmente nunca mais aquela seria sua casa.

"Volto daqui a uma hora para buscar você", sua avó avisou. "Jantaremos no hospital."

Conor não estava escutando. Já tinha batido a porta do carro atrás de si.

"Uma hora!", ela repetiu através da porta fechada. "Você vai querer estar lá hoje de noite."

O garoto continuou caminhando em direção à casa.

"Conor?", sua avó o chamou. Ele não olhou para trás.

Mal a escutou manobrando o carro e se afastando.

—— • ——

Do lado de dentro, a casa cheirava poeira e ar envelhecido. Ele nem se deu o trabalho de fechar a porta da frente. Foi direto para a cozinha e olhou pela janela.

Lá estava a igreja no alto do morro. Lá estava o teixo, guardião do cemitério.

Conor atravessou o quintal. Subiu na mesa de madeira onde sua mãe costumava beber Pimm's no verão e, escalando a cerca, se jogou para o outro lado. Não fazia aquilo desde que era um garotinho, há tanto tempo que tinha sido seu pai que o deixara de castigo. O buraco no arame farpado perto da linha do trem ainda estava lá, e ele o atravessou, rasgando sua camiseta, sem se importar.

Cruzou os trilhos, mal observando se vinha algum trem, escalou outra cerca e foi parar na base do morro que levaria à igreja. Pulou o pequeno muro de pedra e seguiu desviando das lápides, sempre de olho na árvore.

Que, durante todo esse tempo, permaneceu uma árvore.

Começou a correr.

"Acorda!", gritou antes mesmo de alcançar o teixo. "ACORDA!"

Chegou ao tronco e começou a chutá-lo. "Eu disse que é pra *acordar*! Não interessa que horas são!"

E chutou outra vez.

Com mais força.

E de novo.

A árvore se moveu tão rápido que Conor perdeu o equilíbrio e desabou no chão.

Você vai se machucar se continuar fazendo isso, comentou o monstro, seu vulto se avolumando próximo a Conor.

"Não funcionou!", Conor gritou, ficando de pé. "Você disse que o teixo ia curar a minha mãe, mas não deu certo!"

Falei que, se ela pudesse ser curada, o teixo a ajudaria, o monstro respondeu. *Pelo jeito, não havia cura.*

A fúria borbulhou dentro do peito de Conor, seu coração batendo tão forte que se chocava contra as costelas. Atacou as pernas do monstro, quebrando os galhos com suas mãos, ferindo-as instantaneamente. "Cura ela! Você precisa curar minha mãe!"

Conor, o monstro falou.

"Pra que você *serve*, se não pode curar ela?", continuou, sem parar de esmurrar o monstro. "Só pra contar histórias idiotas e me meter em encrenca e deixar todo mundo me olhando como se eu tivesse alguma doença..."

Ele parou porque o monstro o pegou com uma de suas mãos e o dependurou no ar.

Você me chamou, Conor O'Malley, afirmou, olhando fixamente para ele. *Você é quem tem as respostas para essas perguntas.*

"Se eu te chamei", Conor falou, o rosto vermelho, coberto de lágrimas que molhavam violentamente suas bochechas, e que ele estava cansado de segurar, "foi pra salvar ela! Foi pra curar ela!"

Ouviu-se um rumor por entre as folhas do corpo do monstro, como se o vento as movimentasse em um longo e leve suspiro.

Não vim para curá-la, o monstro anunciou. *Vim para curar você.*

"Eu?", o garoto parou de tremer. "Não preciso da sua ajuda. É minha mãe que tá..."

Mas não conseguia dizer. Mesmo agora não conseguia dizer. Mesmo depois da conversa. Mesmo tendo certeza de que sempre soubera. Porque é *claro* que ele sempre soubera, é *claro* que ele sabia, por mais que não quisesse acreditar que não havia volta, ele sabia. Mas ainda não era *capaz* de dizer.

Não podia dizer que ela estava...

Ele chorava muito e estava difícil de respirar. Sentia como se estivesse sendo dissecado vivo, como se seu corpo estivesse dilacerando pouco a pouco.

Olhou para o monstro. "Me ajuda", pediu, baixinho.

Chegou a hora, anunciou, *da quarta história.*

Conor gritou furiosamente. "Não! Não é isso! Tem coisas mais importantes acontecendo!"

Sim, disse o monstro. *Eu sei.*

Abriu a mão que estava livre.

A neblina os encobriu.

E, mais uma vez, eles estavam dentro do pesadelo.

A QUARTA HISTÓRIA

Ainda que estivesse protegido pela enorme e poderosa mão do monstro, Conor podia sentir o terror o invadindo, podia sentir a escuridão enchendo seus pulmões e o engasgando, podia sentir seu estômago começando a despencar...

"Não!", gritou, tentando se desvencilhar, mas o monstro o prendeu. "Não! Por favor!"

O morro, a igreja, o cemitério tinham desaparecido, até mesmo o sol tinha ido embora, deixando-os cercados por uma gélida escuridão, a mesma que perseguia Conor desde que sua mãe tinha sido hospitalizada pela primeira vez, antes de ela ter iniciado o tratamento que fez com que perdesse os cabelos, antes de ela ter pego aquela gripe que não ia embora nunca até ir ao médico e descobrir que não era uma gripe, antes, quando ela passou a reclamar de como se sentia cansada, ou ainda antes de tudo aquilo, *desde sempre*, parecia, o pesadelo sempre estivera lá, espreitando-o, cercando-o, dilacerando-o, deixando-o sozinho.

Sentia como se nunca tivesse estado em outro lugar.

"Me tira daqui!", gritou. "Por favor!"

Chegou a hora, repetiu o monstro, *da quarta história*.

"Eu não sei contar histórias!", falou Conor, os pensamentos trôpegos, dominados pelo medo.

Se você não contar, o monstro continuou, *eu terei que contar por você*. Aproximou Conor de seu rosto. *E acredite quando eu digo, você não gostaria **disso**.*

"Por favor", o garoto pediu novamente. "Preciso voltar pra ver minha mãe."

Mas, disse o monstro, virando-se para a escuridão, *ela já está aqui.*

Largou-o abruptamente, quase lançando-o ao chão, e Conor deu um passo em falso.

Reconheceu o chão gélido sob as mãos, reconheceu a clareira cercada por uma floresta escura e impenetrável, reconheceu o penhasco, voando sob uma escuridão ainda mais profunda.

E, próxima à beira do penhasco, sua mãe.

Ela estava de costas para ele, mas o observava por cima do ombro, sorrindo. Parecia frágil como no hospital, mas lhe mandou um aceno silencioso.

"Mãe!", gritou Conor, sentindo-se pesado demais para levantar, como sempre acontecia no início do pesadelo. "Você precisa sair daí!"

Ela não se mexeu, embora parecesse preocupada com o que ele dissera.

Conor se arrastou na direção dela, extenuado com o esforço. "Mãe, você precisa fugir!"

"Eu estou bem, querido", ela falou. "Não precisa se preocupar."

"Mãe, foge! Por favor, *foge*!"

"Mas, querido, há..."

Ela parou de falar e se virou para o penhasco, como se escutasse algo.

"Não", Conor sussurrou para si mesmo. Avançou mais um pouco, mas ela estava tão distante, tão difícil de alcançar, e ele se sentia tão *pesado*...

Do abismo ouvia-se um som distante. Um ruído grave e *estrondoso*.

Como se algo enorme se movesse lá embaixo.

Algo maior que o mundo.

E que estava escalando o penhasco.

"Conor?", chamou sua mãe, olhando para ele.

Mas Conor sabia. Era tarde demais.

O verdadeiro monstro se aproximava.

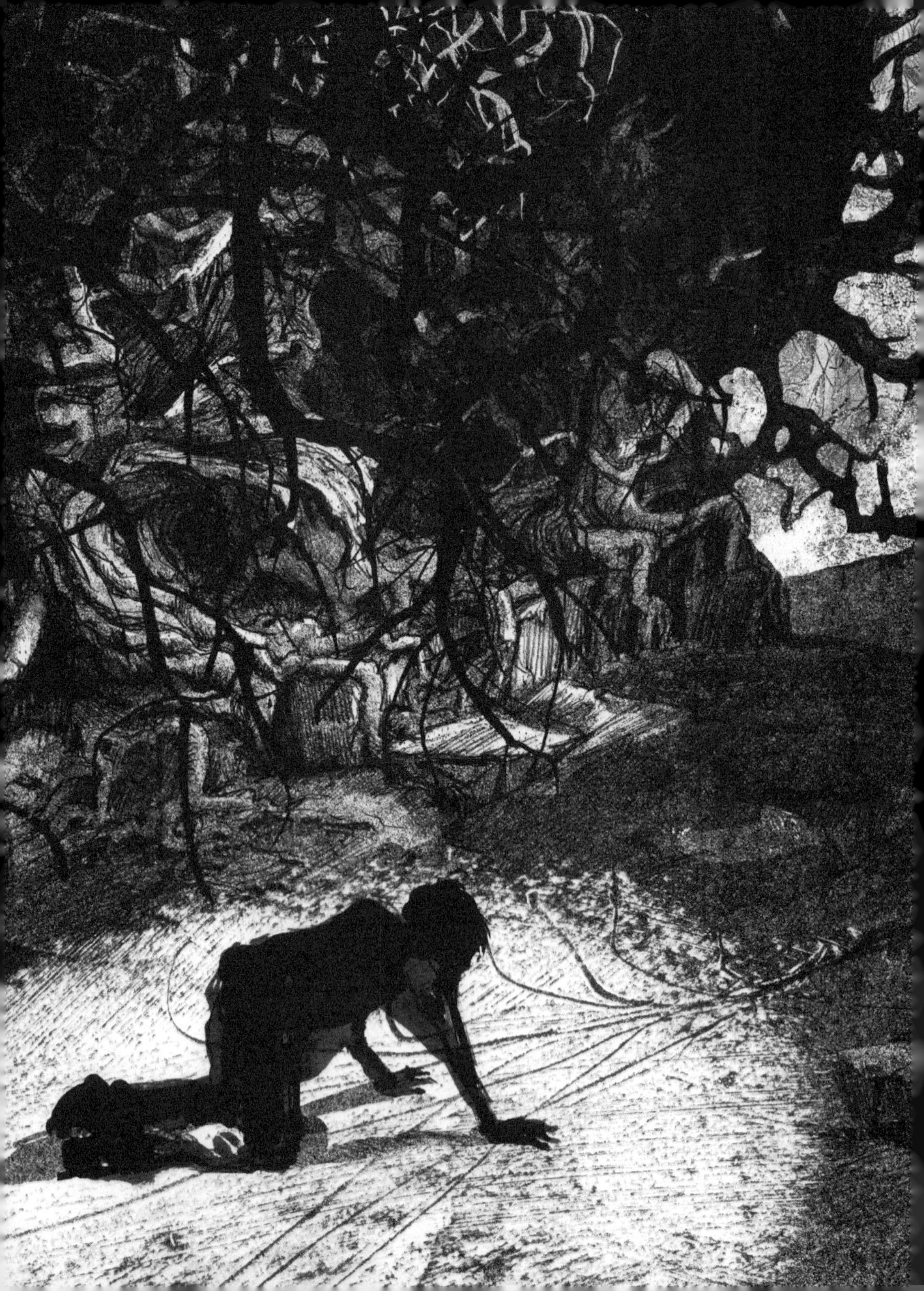

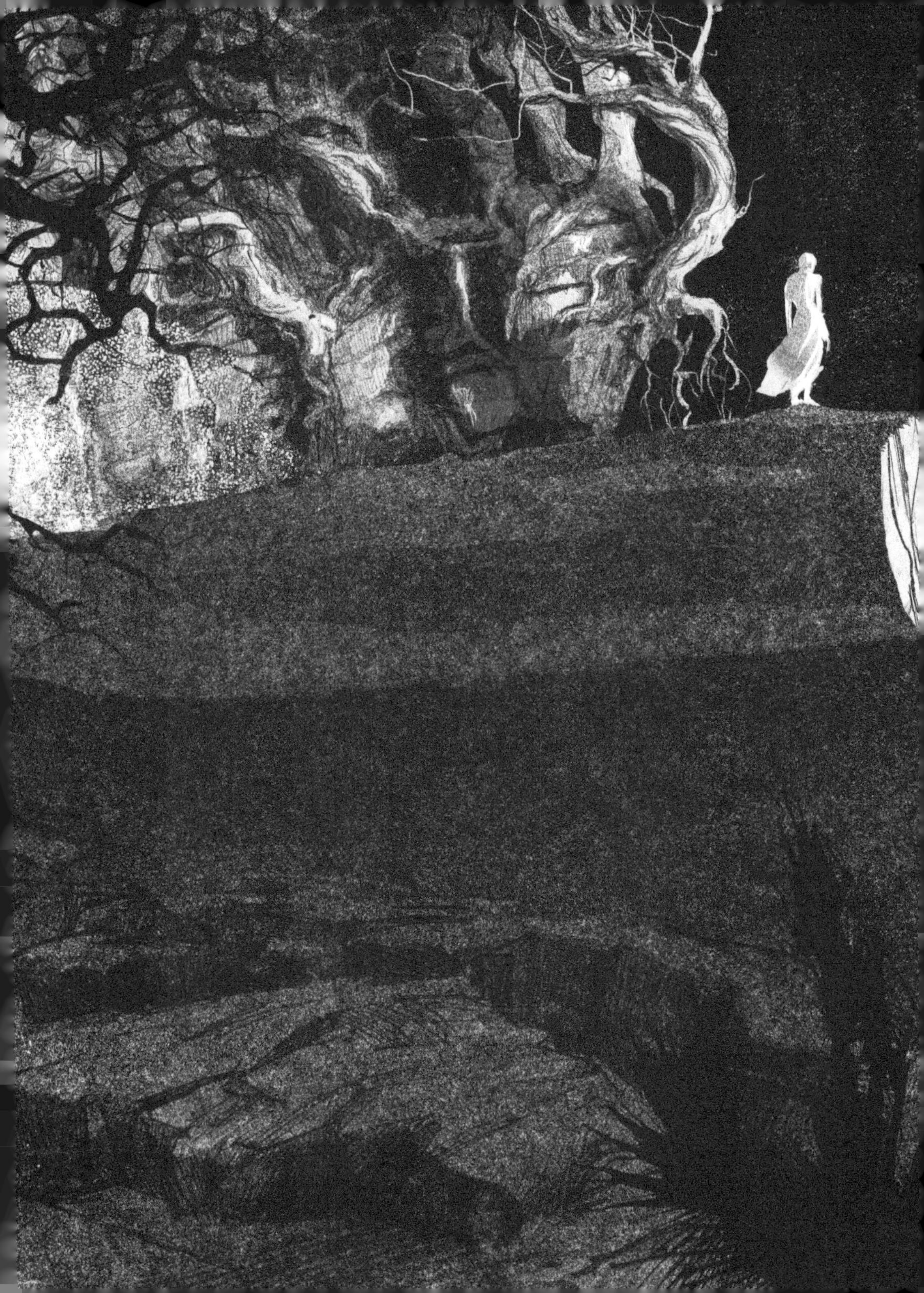

"Mãe!", Conor gritou, forçando-se a ficar de pé, lutando contra o peso invisível que o pressionava. "MÃE!"

"Conor!", e ela gritou, se afastando da beira do penhasco.

Mas o estrondo ficava cada vez mais alto. E mais alto. E ainda mais alto.

"MÃE!"

Ele sabia que não conseguiria chegar a tempo.

Porque em um só rugido, uma nuvem de escuridão trouxe duas mãos enormes por sobre o penhasco. Rodearam no ar por um momento, por cima de sua mãe, enquanto ela se arrastava tentando escapar.

Mas ela estava muito fraca, fraca demais... E as mãos desceram juntas em um golpe violento e a agarraram, levando-a para a beira do penhasco.

E, por fim, Conor conseguiu correr. Com um grito, ele atravessou a clareira, tão rápido que quase tropeçou, e se jogou em direção à mãe, buscando-a, enquanto o monstro a arrastava para o abismo.

Suas mãos agarraram as dela.

Esse era o pesadelo. Esse era o pesadelo que fazia com que ele acordasse gritando todas as noites. Estava acontecendo aqui, estava acontecendo *agora*.

Ele estava na beira do penhasco, tentando se firmar, segurando as mãos da mãe com toda sua força, tentando evitar que ela fosse sugada pela escuridão, sugada pela criatura do fundo do abismo.

Que ele podia ver inteiramente agora.

O *verdadeiro* monstro, o que de fato o assustava, o que ele esperava ver quando o teixo apareceu pela primeira vez, o verdadeiro, o monstro do pesadelo, feito de nuvens e cinzas e chamas escuras, mas com músculos de verdade, com uma força de verdade, com olhos vermelhos que o encaravam de verdade e dentes reluzentes que mastigariam sua mãe viva. *Já vi coisa pior*, Conor havia dito ao teixo naquela primeira noite.

E aqui estava a pior coisa que já vira.

"Me ajuda, Conor!", implorou sua mãe. "Não me solta!"

"Não vou soltar!", Conor gritou em resposta. "Prometo!"

O monstro do pesadelo emitiu um rugido e puxou a mãe de Conor com mais força, as gigantescas mãos estirando o corpo dela.

E as mãos dela começaram a escorregar das mãos de Conor.

"Não!", ele berrou.

Sua mãe gritava apavorada. "Por favor, Conor! Me segura!"

"Estou te segurando!", Conor gritou. Ele se virou para o teixo, que estava ao seu lado, imóvel. "Me ajuda! Não vou conseguir!"

Mas a árvore permaneceu parada.

"Conor!", chamou sua mãe.

E suas mãos escapavam.

"*Conor!*", ela gritou de novo.

"Mãe!", ele chorava, segurando-a com mais e mais força.

Mas as mãos escorregavam de seu aperto, e ela ficava mais e mais pesada, o monstro do pesadelo puxando com mais e mais força.

"Estou caindo!", ela urrou.

"NÃO!", ele chorava.

Desabou no chão devido ao peso da mãe, as mãos do monstro do pesadelo tragando-a para baixo.

Ela gritou de novo.

E de novo.

E ela estava muito *pesada*, impossível de segurar.

"Por favor", Conor murmurou. "*Por favor.*"

E esta, escutou o teixo falar, *é a quarta história.*

"Cala a boca!", disse Conor. "*Me ajuda!*"

Esta é a verdade de Conor O'Malley.

E sua mãe gritava.

E ela estava escorregando.

Era tão difícil de segurar.

É agora ou nunca, anunciou o teixo. *Você deve falar a verdade.*

"Não!", disse Conor, sua voz se despedaçando.

*Você **deve**.*

"Não!", repetiu Conor, olhando para o rosto da mãe...

Mas toda a verdade apareceu num repente...

E o pesadelo atingiu seu ápice...

"Não!", gritou Conor mais uma vez...

E sua mãe caiu.

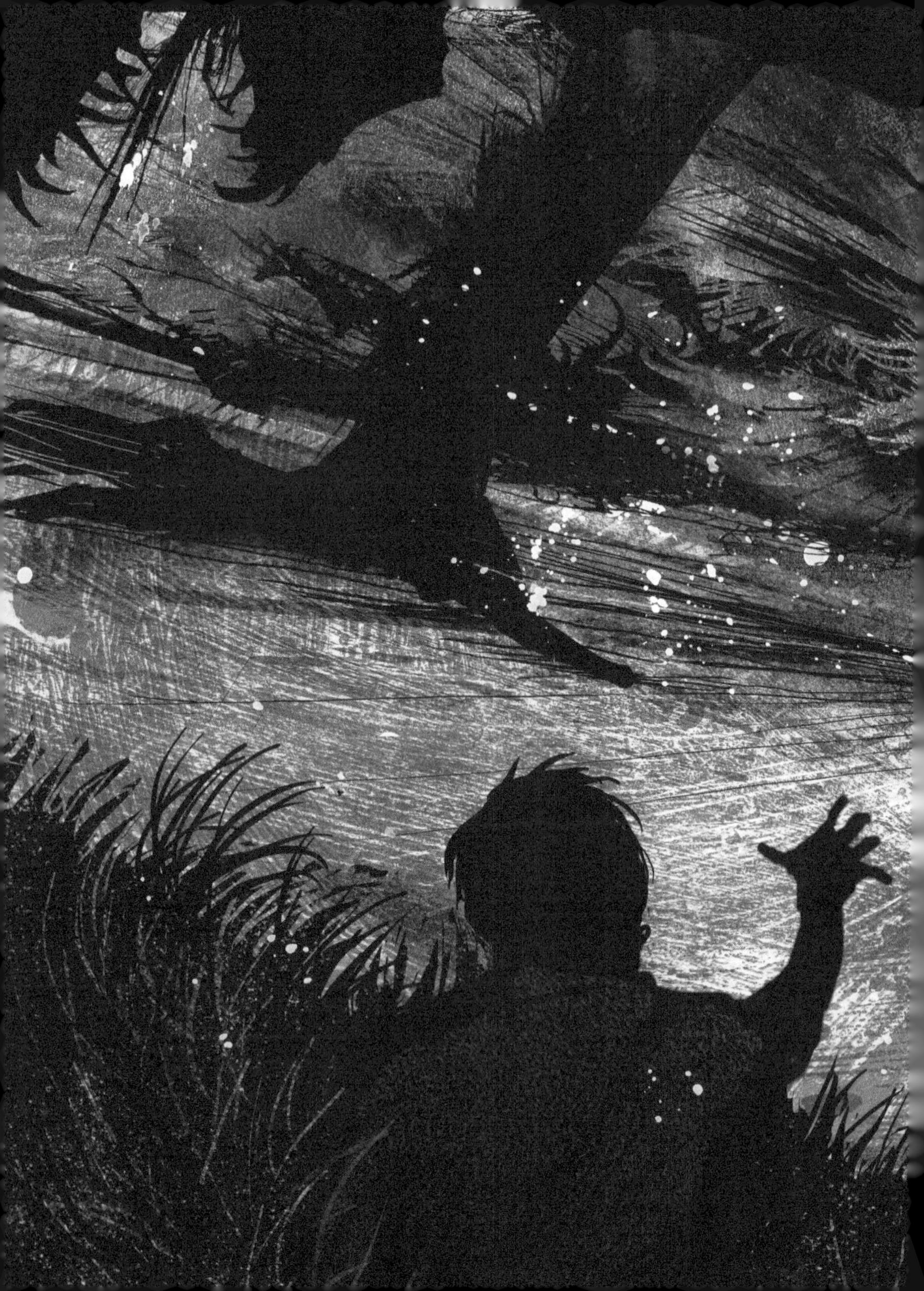

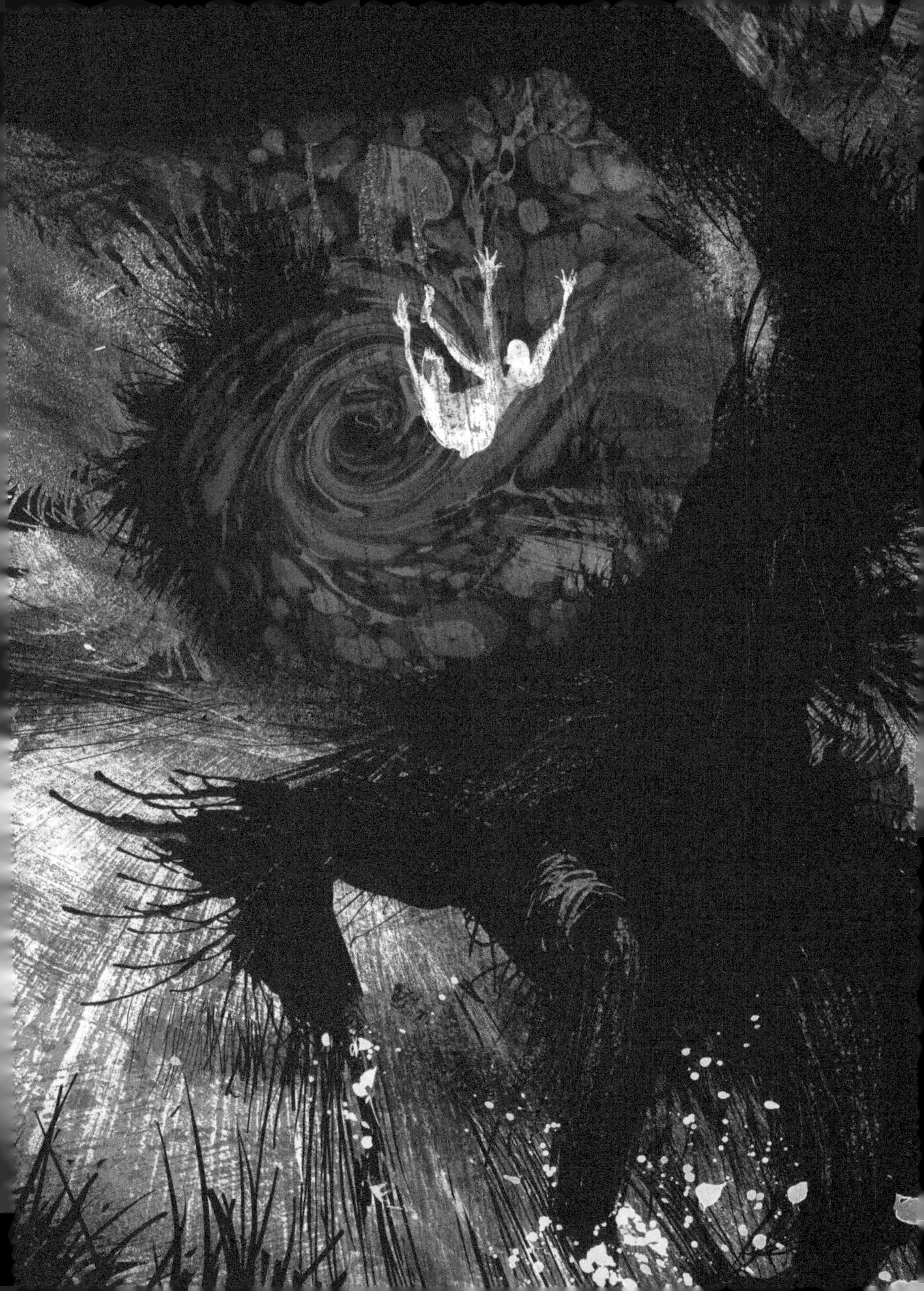

O RESTO DA QUARTA HISTÓRIA

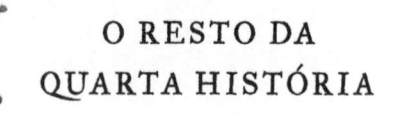

Este era o momento em que ele acordava. Quando caía, gritando, solta de suas mãos, sumia no abismo, engolida pelo pesadelo, perdida para sempre, esse era o momento em que ele sentava na cama, coberto de suor, o coração batendo tão rápido que pensava que ia morrer.

Mas ele não acordou.

O pesadelo ainda o cercava. O teixo ainda permanecia atrás dele.

Você ainda não contou a história, disse.

"Me tira daqui", Conor pediu, ao se levantar tremendo. "Preciso ver minha mãe."

Ela não está mais aqui, Conor, falou o monstro. *Você a deixou ir.*

"É apenas um pesadelo", disse o garoto, arfante. "Não é a verdade."

Isto é a verdade, falou o monstro. *Você sabe disso. Você a deixou ir.*

"Ela *caiu*!", explicou Conor. "Não consegui mais segurar. Ela ficou muito *pesada*."

E, então, você a deixou ir.

"Ela *caiu*!" o garoto repetiu, sua voz crescendo, quase em desespero. As cinzas e a fuligem que levaram sua mãe voltavam do penhasco em anéis de fumaça, fumaça que ele inevitavelmente inspirava. Invadia sua boca e seu nariz como se fosse ar, preenchendo e engasgando-o. Ele precisava lutar até mesmo para respirar.

Você a deixou ir, disse o monstro.

"Não deixei ela ir!", Conor gritou, a voz rouca. "Ela caiu!"

Você deve contar a verdade ou nunca sairá deste pesadelo, disse o monstro, se aproximando perigosamente dele, com a voz mais assustadora que o garoto já tinha escutado. *Você ficará preso aqui, sozinho, pelo resto da sua vida.*

"Por favor, me deixa ir embora!", implorou Conor, tentando se afastar. Gritou em pânico quando viu que os anéis de fumaça tinham se enroscado em suas pernas. Eles o derrubaram e começaram a enrodilhar seus braços também. "Me ajuda!"

Fale a verdade!, ordenou o monstro, sua voz grave e apavorante. *Fale a verdade, ou ficará aqui para sempre.*

"Qual verdade?", Conor perguntou, aflito, enquanto tentava se livrar dos anéis de fumaça. "Não sei do que você tá falando!"

O rosto do monstro ressurgiu na escuridão, distante de Conor.

*Você **sabe***, disse, em tom ameaçador.

E então, desceu o silêncio.

Porque, sim, Conor sabia.

Sempre soube.

A verdade.

A real verdade. A verdade do pesadelo.

"Não", ele falou baixinho, enquanto a escuridão o envolvia por inteiro. "Não consigo."

Você deve.

"Não *consigo*."

Você consegue, disse o monstro, e sua voz trazia um tom diferente.

De bondade.

Os olhos de Conor se encheram d'água. Lágrimas escorriam pelo rosto e ele não conseguia controlá-las, não conseguia sequer enxugá-las pois os anéis de fumaça o prendiam com força, quase o dominavam.

"Não me obriga a fazer isso", pediu Conor. "Por favor, não me obriga a dizer isso."

Você a deixou ir, o monstro falou.

Conor sacudiu a cabeça. "Por favor..."

Você a deixou ir, o monstro repetiu.

Conor apertou os olhos com força.

E então, concordou.

Você podia ter segurado sua mãe por mais tempo, o monstro prosseguiu, *mas você a deixou cair. Afrouxou as mãos e permitiu que o pesadelo a levasse embora.*

Conor concordou novamente, seu rosto contorcido de dor e coberto de lágrimas.

Você queria que ela caísse.

"Não", Conor disse em meio às lágrimas.

Você queria que ela caísse.

"Não!"

*Você deve falar a verdade e precisa falar **agora**, Conor O'Malley. Fale. Você deve.*

O garoto sacudiu a cabeça outra vez, seus lábios hermeticamente fechados, mas podia sentir seu peito queimando, como se alguém tivesse colocado fogo ali, um sol em miniatura, resplandecendo e o incendiando por dentro.

"Vou morrer se eu fizer isso."

Você vai morrer se não fizer isso, o monstro disse. *Você precisa falar.*

"Não *consigo*."

Você a deixou ir. Por quê?

A escuridão chegava aos olhos de Conor, tapando suas narinas e dominando sua boca. Ele buscava ar, mas não conseguia encontrá-lo. A escuridão o sufocava. Iria *matá-lo*...

Por quê, Conor?, o monstro questionou, impetuoso. *Conte o PORQUÊ! Antes que seja tarde!*

O fogo dentro do peito de Conor soltou uma labareda, incandescendo repentinamente como se fosse comê-lo vivo. Era a verdade, ele sabia que era. Um gemido começou a se formar em sua garganta, um gemido que se transformou em choro, e depois em um grito sem palavras e ele abriu a boca e saíram chamas de dentro de seu corpo, chamas prontas para consumir tudo, refulgindo na escuridão, queimando o teixo e todo o resto do mundo, enquanto Conor gritava e gritava e gritava, cheio de dor e mágoa...

E ele disse.

E falou a verdade.

Contou o resto da quarta história.

"Não *aguento* mais!", berrou, o fogo ardendo ao seu redor. "Não aguento saber que ela vai embora! Só quero que acabe! Só quero o *fim* disso tudo!"

E então, o fogo engoliu o mundo, arrasando tudo, levando o garoto junto.

Ele recebeu aquilo com grande alívio, pois era, enfim, o castigo que tanto merecia.

VIDA APÓS A MORTE

Conor abriu os olhos. Estava deitado sobre a grama, no morro próximo à sua casa.

Ainda estava vivo.

Que era a pior coisa que podia acontecer.

"Por que não me matou?", ele grunhiu, cobrindo o rosto com as mãos. "Eu mereço o pior."

Será?, perguntou o monstro, parado ao seu lado.

"Estou pensando nisso faz um tempão", Conor falou lentamente, dolorosamente, lutando para deixar as palavras saírem. "Sempre soube que ela não ia aguentar, quase desde o início. Ela dizia que estava melhorando porque era isso que eu queria ouvir. E eu queria acreditar. Mas, no fundo, não conseguia."

Não, o monstro concordou.

Conor engoliu em seco, ainda tremendo. "E comecei a pensar como eu queria que aquilo *acabasse* de uma vez. Como eu queria não ter mais que *pensar* sobre aquilo. Como eu não aguentava mais ter que esperar. Como eu não aguentava mais me sentir sozinho."

Começou a chorar muito, com mais intensidade do que nunca, mais até mesmo do que quando descobrira que sua mãe estava doente.

Parte de você queria que tudo simplesmente acabasse, falou o monstro, *mesmo que isso significasse perdê-la.*

Conor assentiu, incapaz de falar.

E o pesadelo começou. O pesadelo que sempre terminava com...

"Eu deixei ela ir", Conor desengasgou. "Podia ter segurado, mas soltei."

E esta, falou o monstro, *é a verdade.*

"Mas eu não *queria* ter feito isso!", Conor disse, aumentando a voz. "Eu não queria ter soltado ela! E agora é real! Ela vai morrer e a culpa é minha!"

E esta, falou o monstro, *não é, de modo algum, a verdade.*

O sofrimento de Conor era físico, fisgando-o como um gancho, tensionando-o com a rigidez de um músculo. Ele mal podia respirar por mais simples que esse *esforço* parecesse, e afundou no chão novamente, desejando ser enterrado para sempre.

Conor sentiu que as imensas mãos do monstro o recolhiam levemente, formando um pequeno ninho para segurá-lo. Ele mal notou as folhas e os galhos se movendo ao seu redor, abrindo um espaço confortável para que se deitasse.

"A culpa é minha", repetiu. "Eu soltei ela. A culpa é minha."

A culpa não é sua, disse o monstro, sua voz flutuando como uma brisa.

"É *sim*."

Você apenas desejava que o sofrimento acabasse, o monstro falou. *Sua própria dor. O fim do modo como ela o isolava. É o desejo mais humano de todos.*

"Eu não queria isso", Conor disse.

Você quis, disse o monstro, *e também não quis.*

Conor fungou e olhou para a criatura, que era tão grande quanto uma parede à sua frente. "Como as duas coisas podem ser verdade?"

Porque os humanos são seres complicados, explicou o monstro. *Como uma rainha pode ser tanto uma bruxa boa como uma bruxa má? Como um príncipe pode ser, ao mesmo tempo, o assassino e o salvador? Como um boticário pode ter uma péssima índole e estar certo? Como um pároco pode ter um bom coração e estar errado? Como um homem invisível pode ficar ainda mais solitário depois que passa a ser visto?*

"Não sei", Conor deu de ombros, exausto. "Nunca entendi suas histórias."

*A resposta é que não interessa o que você **pensa**,* o monstro continuou, *pois você cairá em mil contradições todos os dias. Você queria que sua mãe partisse e estava desesperado para que eu a salvasse. Sua mente acreditará em mentiras reconfortantes mesmo sabendo que são as verdades dolorosas que fazem tais mentiras necessárias. E sua mente o punirá por acreditar em ambas as coisas.*

"Mas como eu enfrento isso?", perguntou Conor, com a voz rouca. "Como eu enfrento tantas coisas diferentes dentro de mim?"

Falando a verdade, respondeu o monstro. *Como você acaba de fazer.*

O garoto lembrou da sua mãe, de como ele apertava suas mãos, de como ela escorregava...

Pare, Conor O'Malley, pediu o monstro, gentilmente. *Foi por isso que vim até você, para lhe contar essa história e curá-lo. Você precisa me ouvir.*

Conor engoliu em seco. "Estou escutando."

Você não escreve sua vida com palavras, o monstro disse. *Você a escreve com ações. Não importa o que você pensa. Só importa o que você **faz**.*

Houve um longo silêncio, enquanto Conor recuperava o fôlego.

"Então, o que devo fazer?", ele perguntou, por fim.

Faça o que você acabou de fazer. Diga a verdade.

"Só?"

Acha que é fácil? O monstro levantou suas sobrancelhas enormes. *Há pouco, você preferia morrer a falar a verdade.*

Conor olhou para suas mãos fechadas, enfim relaxando-as. "Por que o que eu pensava era muito *errado*."

Era apenas um pensamento, o monstro o tranquilizou. *Era apenas um pensamento, um em um milhão. Não era uma ação.*

O garoto soltou o ar em um longo suspiro, ainda descompassado.

Mas a sensação de sufoco havia desaparecido. O pesadelo não o invadia, esmagando seu peito, arrastando-o para o chão.

Na verdade, ele nem sequer sentia a presença do pesadelo.

"Estou tão cansado", disse Conor, colocando a cabeça entre as mãos. "Tão cansado disso tudo."

Então durma, sugeriu o monstro. *Há tempo.*

"Tem mesmo?", murmurou Conor, sentindo os olhos pesados.

O monstro tornou a ajeitar suas mãos, deixando o ninho de folhas onde o garoto estava deitado ainda mais confortável.

"Preciso ver a minha mãe", ele reclamou.

Você verá, o monstro disse. *Prometo.*

Conor abriu os olhos. "Você vai estar lá?"

Sim, falou o monstro. *Serão os últimos passos da minha caminhada.*

A correnteza do sono arrastou Conor com tanta força que resistir parecia impossível.

Antes de se render, conseguiu fazer uma última pergunta. "Por que você sempre aparece às 12:07?"

Caiu no sono antes que o monstro pudesse responder.

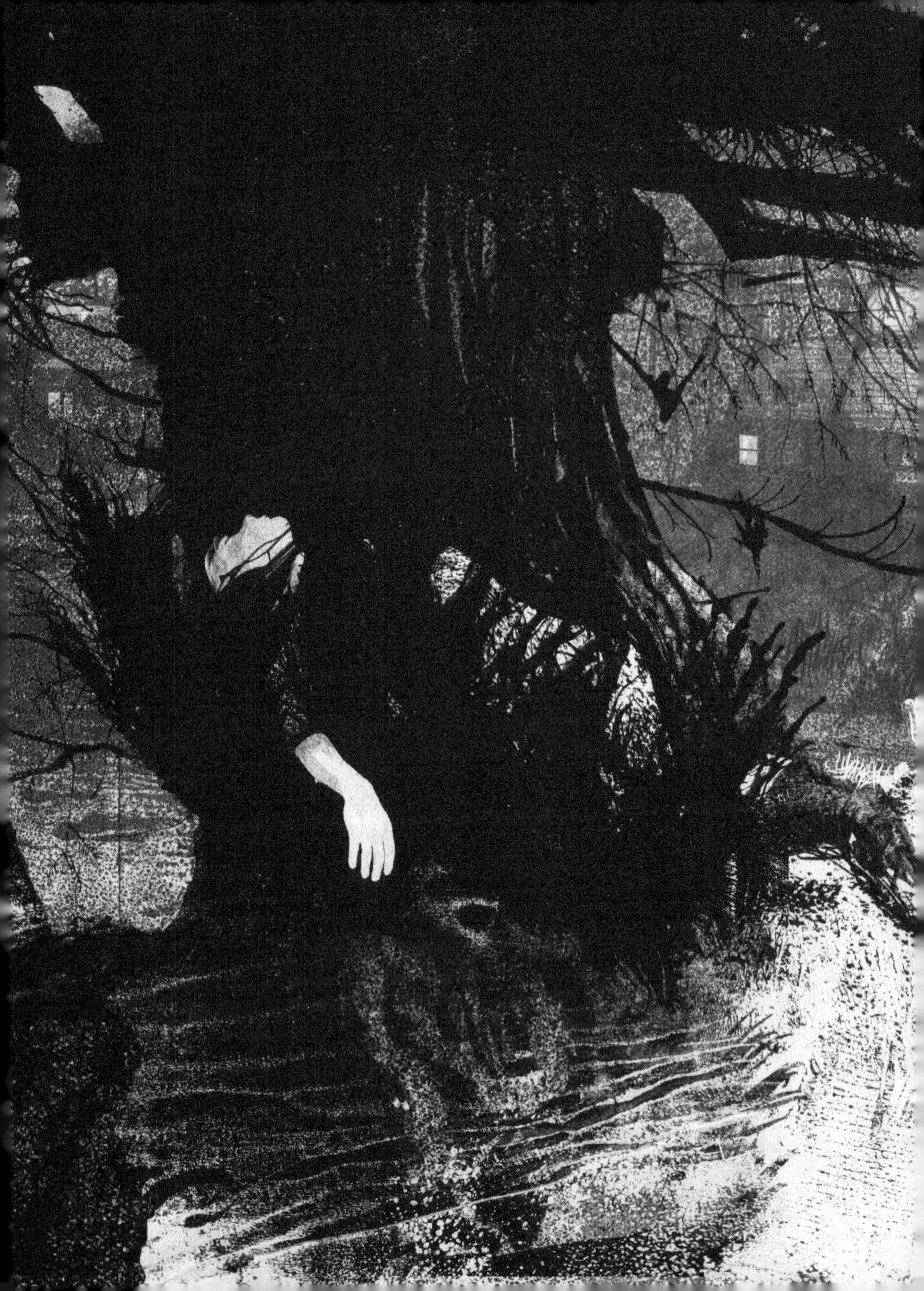

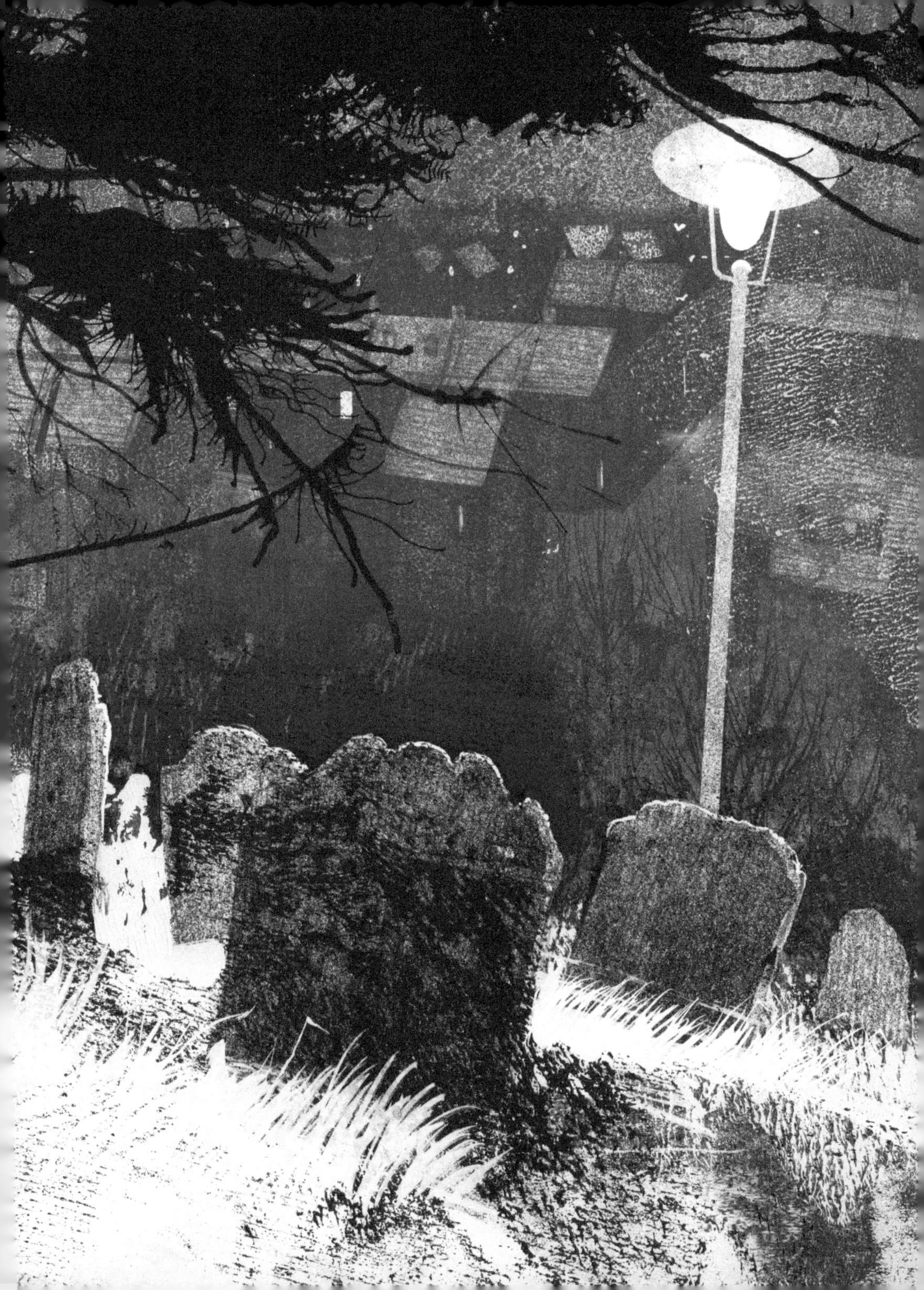

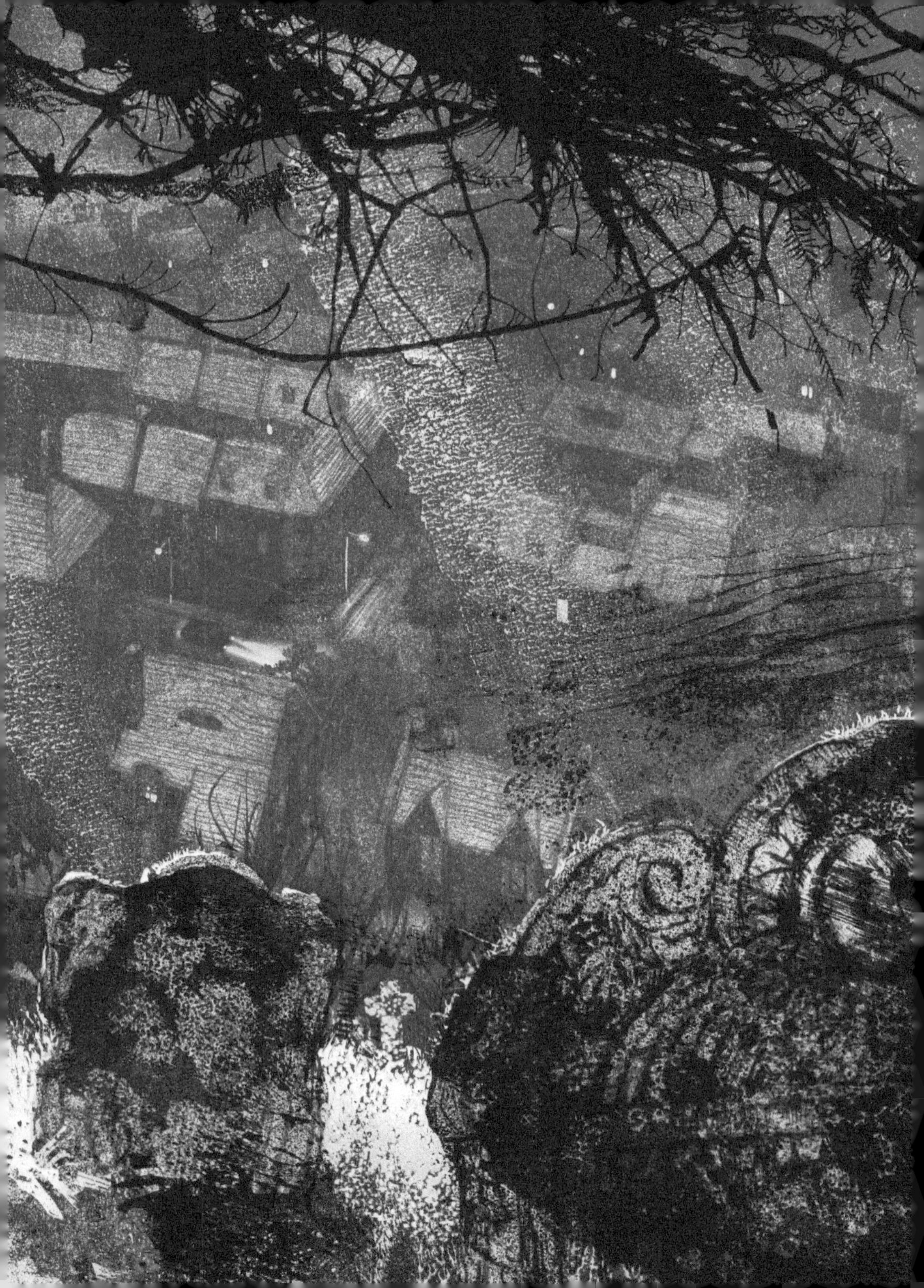

ALGO EM COMUM

"Graças a Deus!"

As palavras chegaram antes de Conor realmente despertar.

"Conor!", ouviu, e então mais alto: "*Conor!*".

A voz de sua avó.

Abriu os olhos, e se sentou devagar. Tinha anoitecido. Por quanto tempo ele dormira? Olhou ao redor. Ainda estava no morro atrás de sua casa, enrodilhado nas raízes do teixo. Encarou-o. Era apenas uma árvore.

Mas ele também poderia jurar que não era.

"CONOR!"

Sua avó corria vindo da direção da igreja, e ele podia enxergar o carro dela parado na estrada, os faróis acesos, o motor ligado. Levantou enquanto ela vinha apressada em sua direção, seu rosto demonstrando braveza e alívio e algo que ele reconheceu com um frio na barriga.

"Ah, graças a Deus, graças a DEUS!", ela gritou ao alcançá-lo.

E então sua avó fez algo surpreendente.

Abraçou-o com tanta força que os dois quase caíram. Se Conor não apoiasse no tronco, teriam saído rolando. Ela o soltou e começou a gritar *de verdade*:

"Por onde você ANDOU?", ela quase urrava. "Procurei você por HORAS! Fiquei DESESPERADA, Conor! QUE DIABOS VOCÊ ESTAVA PENSANDO?"

"Tinha uma coisa que eu precisava fazer", Conor respondeu, mas ela já o puxava pelo braço.

"Não há tempo", disse. "Temos que ir! Temos que ir *agora*!"

Ela o soltou e literalmente *disparou* em direção ao carro, o que era uma cena tão perturbadora que Conor saiu imediatamente atrás dela, pulando no banco do passageiro. Nem fechou direito a porta do carro e a avó já partia, guinchando os pneus.

Não teve coragem de perguntar o motivo da pressa.

"Conor", sua avó falou, enquanto percorria as ruas em uma velocidade alarmante. Foi então que ele olhou para ela e percebeu o quanto ela chorava. E tremia, também. "Conor, você não pode simplesmente..." Ela passou a tremer ainda mais, e ele viu que ela agarrava o volante com força.

"Vó...", ele começou a falar.

"Não", ela cortou. "Não diga nada."

Continuaram em silêncio por um tempo, passando por cruzamentos sem olhar com muita atenção para os lados. Conor conferiu se o cinto de segurança estava bem encaixado.

"Vó?", chamou, segurando na porta enquanto os dois voavam depois de passar por uma lombada.

Ela continuou acelerando.

"Me desculpa", ele pediu, baixinho.

Ela riu, uma risada pesada e triste. Sacudiu a cabeça. "Não importa", falou. "Não importa."

"Não?"

"*Claro* que não", repetiu e começou a chorar de novo. Mas não era o tipo de avó que deixaria uma crise de choro impedi-la de falar. "Quer saber, Conor?", ela disse. "Eu e você? Não nascemos um para o outro, não é?"

"Não", Conor respondeu. "Acho que não."

"Também acho que não." Ela fez uma curva tão rápido que Conor teve que se segurar no banco e na porta do carro para se manter no lugar.

"Mas vamos ter que aprender, sabe", continuou.

Conor engoliu em seco. "Sei."

A avó soltou um soluço. "Sabe, não é?", ela disse. "Claro que sabe."

Ela tossiu para limpar a garganta e olhou rapidamente para os dois lados de um cruzamento antes de atravessar no sinal vermelho. Conor se perguntou que horas seriam. Quase não havia carros na rua.

"Mas sabe de uma coisa, meu neto? Nós temos algo em comum."

"A gente tem?", perguntou Conor, já avistando o hospital à distância.

"Ah, sim", respondeu a avó, pisando ainda mais fundo no acelerador, e ele notou que ainda corriam lágrimas pelo rosto dela.

"E o que é?"

Ela estacionou na primeira vaga vazia na rua próxima ao hospital, parando o carro bruscamente ao tocar no meio-fio.

"Sua mãe", respondeu, encarando-o com um olhar penetrante. "É isso que temos em comum."

Conor não falou nada.

Mas entendeu o que ela queria dizer. A mãe dele era a filha dela. E era a pessoa mais importante que os dois conheciam. Bastante coisa para se ter em comum.

Um lugar por onde começar, com certeza.

A avó desligou o motor e abriu a porta. "Temos que correr", ela avisou.

A VERDADE

A avó entrou apressada no quarto do hospital antes de Conor, com uma terrível expressão de dúvida no rosto. Mas lá dentro havia uma enfermeira, que logo respondeu ao seu olhar. "Está tudo bem", falou. "Vocês chegaram a tempo."

Sua avó cobriu a boca e soltou um suspiro de alívio.

"Pelo que vejo, você encontrou o menino", comentou a enfermeira, olhando para Conor.

"Sim", foi tudo o que sua avó falou.

Tanto ela como Conor olharam para a mãe dele. O quarto estava bastante escuro, apenas uma luz acesa sobre a cama onde ela estava deitada. Seus olhos estavam fechados, e sua respiração estava pesada como se ela tivesse uma tonelada em cima do peito. A enfermeira saiu, deixando-os a sós, e sua avó sentou na cadeira próxima à cama, inclinando-se para pegar a mão da filha. Colocou-a entre as suas, beijando-a e acalentando-a.

"*Mã?*", Conor escutou. Era sua mãe falando, a voz tão grave e fraca que era quase impossível decifrá-la.

"Estou aqui, querida", respondeu a avó, ainda apertando a mão da filha. "Conor está aqui também."

"Está?", sussurrou a mãe, sem abrir os olhos.

Sua avó, com o olhar, pediu que ele dissesse algo.

"Tô aqui, mãe."

Sua mãe não falou nada, apenas estendeu a mão mais próxima a ele.

Pedindo que ele a segurasse.

Segurasse e não largasse.

Este é o fim da história, anunciou o monstro, atrás dele.

"O que eu faço agora?", sussurrou Conor.

Sentiu as mãos do monstro em seus ombros. De alguma maneira elas tinham se tornado pequenas o suficiente para dar a impressão de que o amparavam.

Tudo o que você precisa fazer é falar a verdade, explicou o monstro.

"Tenho medo", confessou Conor. Podia ver sua avó na penumbra, inclinada sobre a filha. Podia ver a mão de sua mãe, ainda estendida, seus olhos ainda fechados.

Claro que você está com medo, falou o monstro, empurrando-o para a frente devagar. *E, ainda assim, você dirá a verdade.*

Enquanto o monstro o guiava com firmeza, mas delicadamente, em direção à sua mãe, Conor olhou para o relógio acima da cama. De alguma maneira, já eram 11:46 da noite.

Vinte e um minutos para as 12:07.

Quis perguntar ao monstro o que aconteceria quando aquela hora chegasse, mas não teve coragem.
Porque sentia que, no fundo, sabia.
Se você falar a verdade, sussurrou o monstro em seu ouvido, *você será capaz de enfrentar o que vier.*
E então Conor olhou para a mãe, para sua mão estendida. Sentiu a garganta fechar e os olhos marejarem.
Não era o sufocamento causado pelo pesadelo, porém. Era mais simples, mais compreensível.
E, ainda assim, tão difícil quanto.
Ele segurou a mão de sua mãe.

Ela abriu os olhos, de leve, notando a presença do filho. E então os fechou novamente.
Mas ela o viu.
E ele soube que o momento havia chegado. Não tinha volta. Aconteceria, não importava o que ele desejasse, não importava o que ele sentisse.

E soube, também, que conseguiria superar aquilo.

Seria terrível. Seria pior do que terrível.

Mas ele sobreviveria.

E tinha sido para isso que o monstro viera. Tinha que ser. Conor precisou dele, e essa necessidade, de alguma forma, o havia chamado. E ele viera caminhando. Exatamente para esse momento.

"Você vai ficar?", sussurrou Conor para o monstro, mal conseguindo falar. "Você vai ficar até..."

Ficarei, o monstro respondeu, suas mãos ainda sobre os ombros de Conor. *Agora, tudo o que você precisa é falar a verdade.*

E foi o que Conor fez.

Respirou fundo.

E, por fim, falou toda a verdade.

"Não quero que você vá embora", disse, as lágrimas saltando de seus olhos, primeiro aos poucos, depois fluindo como um rio.

"Eu sei, meu amor", falou a mãe, a voz pesada e embargada. "Eu sei."

Podia sentir o monstro apoiando-o, ajudando-o a ficar ali.

"Não quero que você vá embora", repetiu.

E isso era tudo o que ele precisava dizer.

Inclinou-se sobre a cama e pôs o braço ao redor da mãe.

Abraçando-a.

Ele sabia que o momento chegaria, em breve, talvez às 12:07. O momento no qual ela escaparia de suas mãos, por mais que ele a segurasse.

Mas não neste instante, sussurrou o monstro, ainda perto dele. *Ainda não é agora.*

Conor abraçou sua mãe com força.

E fazendo isso, ele pôde, finalmente, deixá-la partir.

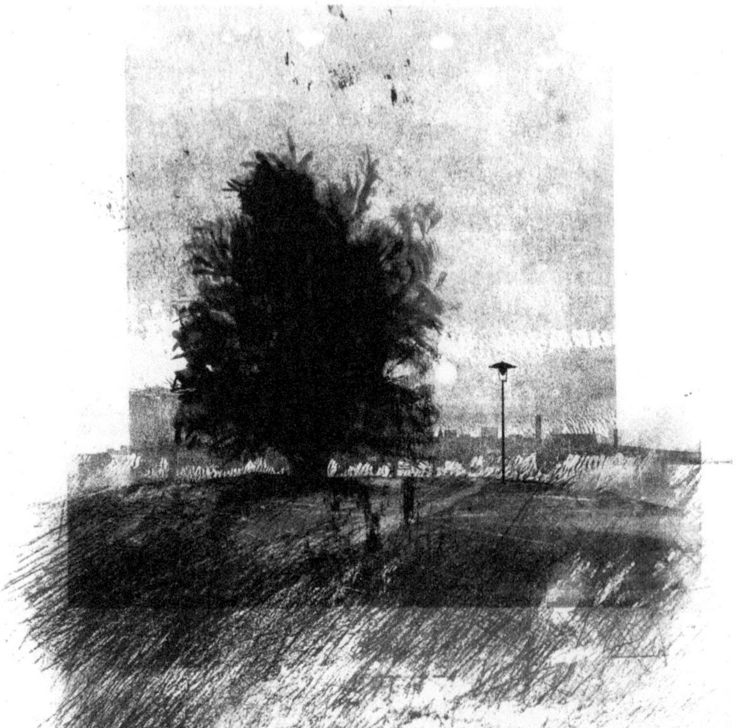